Archidoodle Cidade

Título original: *Archidoodle City. An Architect's Activity Book.* Publicado originalmente por Laurence King Publishing Ltd. em 2017

Tradução e revisão técnica: Alexandre Salvaterra
Preparação de texto: Ana Beatriz Fiori
Revisão de texto: Solange Monaco
Design da capa: Toni Cabré/Editorial Gustavo Gili, SL

Impresso na China
ISBN: 978-85-8452-079-4

Dados Internacionais de Catalogação na Publicação (CIP)
(Câmara Brasileira do Livro, SP, Brasil)

Bowkett, Steve
Archidoodle cidade : o livro de esboços do arquiteto / Steve Bowkett ; [tradução Alexandre Salvaterra]. -- São Paulo : Gustavo Gili, 2017.

Título original: Archidoodle city : an architect's activity book.
ISBN 978-85-8452-079-4

1. Arquitetura - Design 2. Arquitetura - Prática profissional 3. Desenho arquitetônico 4. Desenho arquitetônico - Técnicas 5. Edifícios I. Título.

16-06377 CDD-720.284

Índices para catálogo sistemático:
1. Desenho arquitetônico : Arquitetura 720.284

Editorial Gustavo Gili, SL
Via Laietana 47, 2º, 08003 Barcelona, Espanha. Tel. (+34) 93 3228161

Editora G. Gili, Ltda
Av. José Maria de Faria 470, Sala 103, Lapa de Baixo,
CEP. 05.038-190, São Paulo-SP-Brasil. Tel. (+55) (11) 36112443

Archidoodle Cidade

O livro de esboços do arquiteto

GG®

Steve Bowkett

Conhecida como a "Manhattan do deserto", a cidade de Shibam, no Iêmen, possui cerca de quinhentas torres feitas de tijolos de barro, cujas alturas variam entre cinco e onze pavimentos. Essas torres foram reconstruídas muitas vezes desde o século XVI. *Shibam é um dos melhores exemplos de planejamento urbano denso.*

Introdução

Mais da metade da população mundial vive, atualmente, em centros urbanos ao redor do globo, e esse número aumenta a cada ano. Lidar com o crescimento acelerado da população e reinventar o modo como vivemos nas cidades são questões fundamentais às quais arquitetos e urbanistas dedicam seu tempo. *Archidoodle Cidade* observa como as cidades costumavam ser no passado e imagina como podem vir a ser no futuro. Como em meu primeiro livro, *Archidoodle*, este é um livro de esboços que convida você a projetar, desenhar, colorir e esboçar diferentes aspectos da arquitetura, mas agora com ênfase no ambiente urbano. Usei uma ampla gama de cidades e seus detalhes como ponto de partida para cada desafio, variando das cidades antigas às contemporâneas, das escalas pequenas às grandes, além de incluir tanto o âmbito acadêmico quanto a esfera do lazer. O objetivo principal é que você se divirta enquanto desenha.

Você é livre para usar o estilo e o suporte que preferir. Meus desenhos são bastante despojados, para que fiquem claros e você se sinta incentivado a experimentar diferentes instrumentos ao preencher os espaços disponíveis. Já que os desenhos são todos em preto e branco, sinta-se livre para utilizar esta obra como um livro de colorir, completando ou não os exercícios propostos. Muitos estudantes consideraram o *Archidoodle* como uma base interessante para construir seus portfolios, e eu espero que o *Archidoodle Cidade* seja igualmente uma fonte de inspiração para que os leitores imaginem, desenhem e projetem o futuro de nosso ambiente urbano.

Sobre o autor

Steve Bowkett é um apaixonado pelo belo design. Leciona e pratica arquitetura há mais de 25 anos, tendo passado por várias instituições de ensino superior. Atualmente, é docente sênior na London South Bank University, no Reino Unido. Ele cursou arquitetura na Royal College of Art em Londres e no Polytechnic of Central London (atual University of Westminster). Seu livro anterior, *Archidoodle*, foi publicado em dez línguas.

Steve mora em Buckinghamshire com sua esposa, Jane, e suas filhas, Zoe, Sadie e Phoebe, além de um cachorro, dois gatos e uma centena de peixes. Steve, que ainda busca uma vida feliz e não planejada, ocasionalmente encontra tempo para não fazer nada.

Material

Estes são os instrumentos básicos de desenho que talvez você use neste livro.

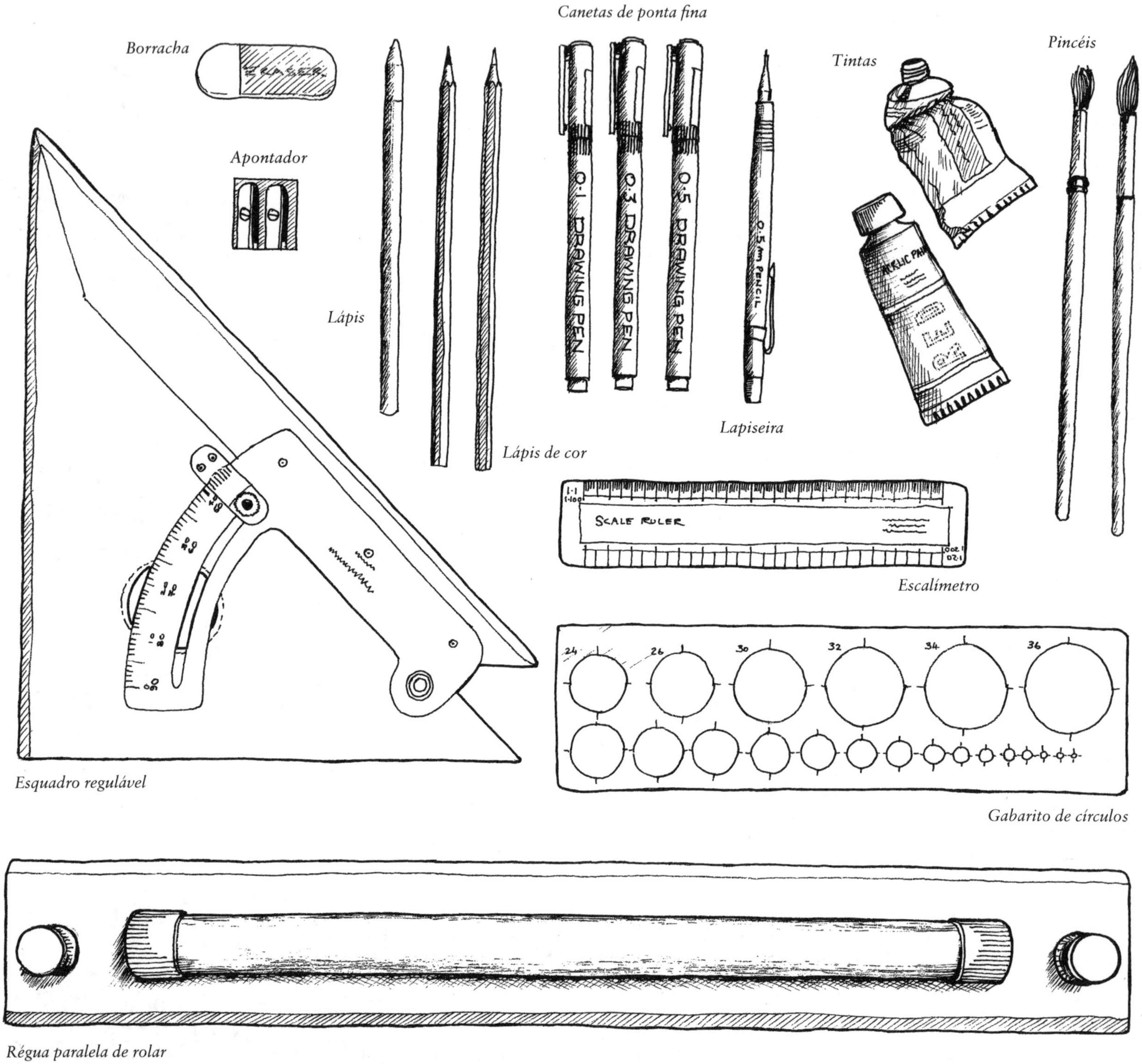

Técnicas

Esta página apresenta algumas técnicas simples que utilizei para criar os desenhos deste livro. Com elas, você poderá dar textura e forma, acrescentar sombra e aumentar a densidade, produzindo uma variedade de efeitos indicados para cada tipo de material.

Hachura

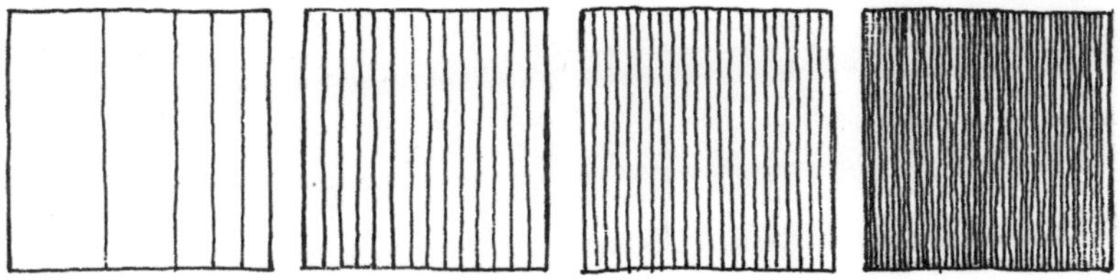

Hachura cruzada

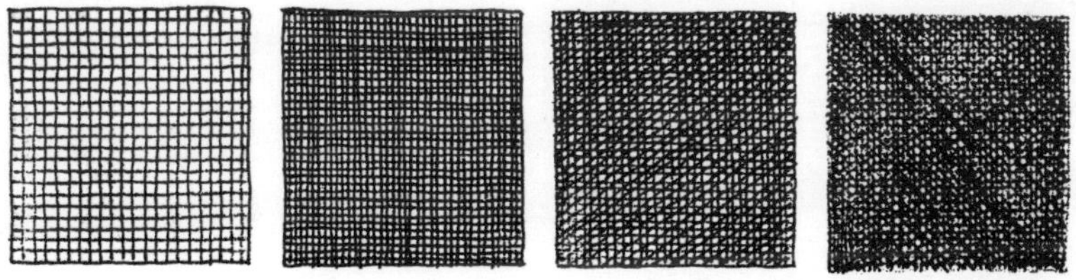

Técnicas de pontilhado

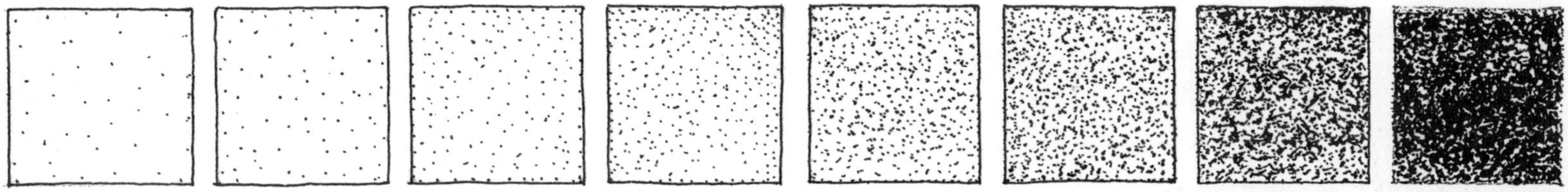

Efeitos diferentes para cada tipo de material: corais, sedimentos, grama, cascalho, folhagem, vegetação, água com ondulações, textura de superfícies

Efeitos diferentes para cada tipo de material: água, reboco de cimento, telhas, vegetação, piso, alvenaria, tecido, pedra

Croquis de perspectivas

Estas notas servem como referência e não oferecem instruções completas a respeito de como desenhar em perspectiva. A perspectiva com um ponto de fuga é normalmente utilizada para mostrar o interior de um espaço — no exemplo abaixo, vemos o interior de uma rua. Neste tipo de perspectiva, todos os elementos do desenho convergem para um único ponto na linha do horizonte (o ponto de fuga), que corresponde ao centro do olhar do observador. À medida que os elementos da paisagem desenhada se afastam, eles aparentam estar mais próximos e menores.

Perspectiva com um ponto de fuga

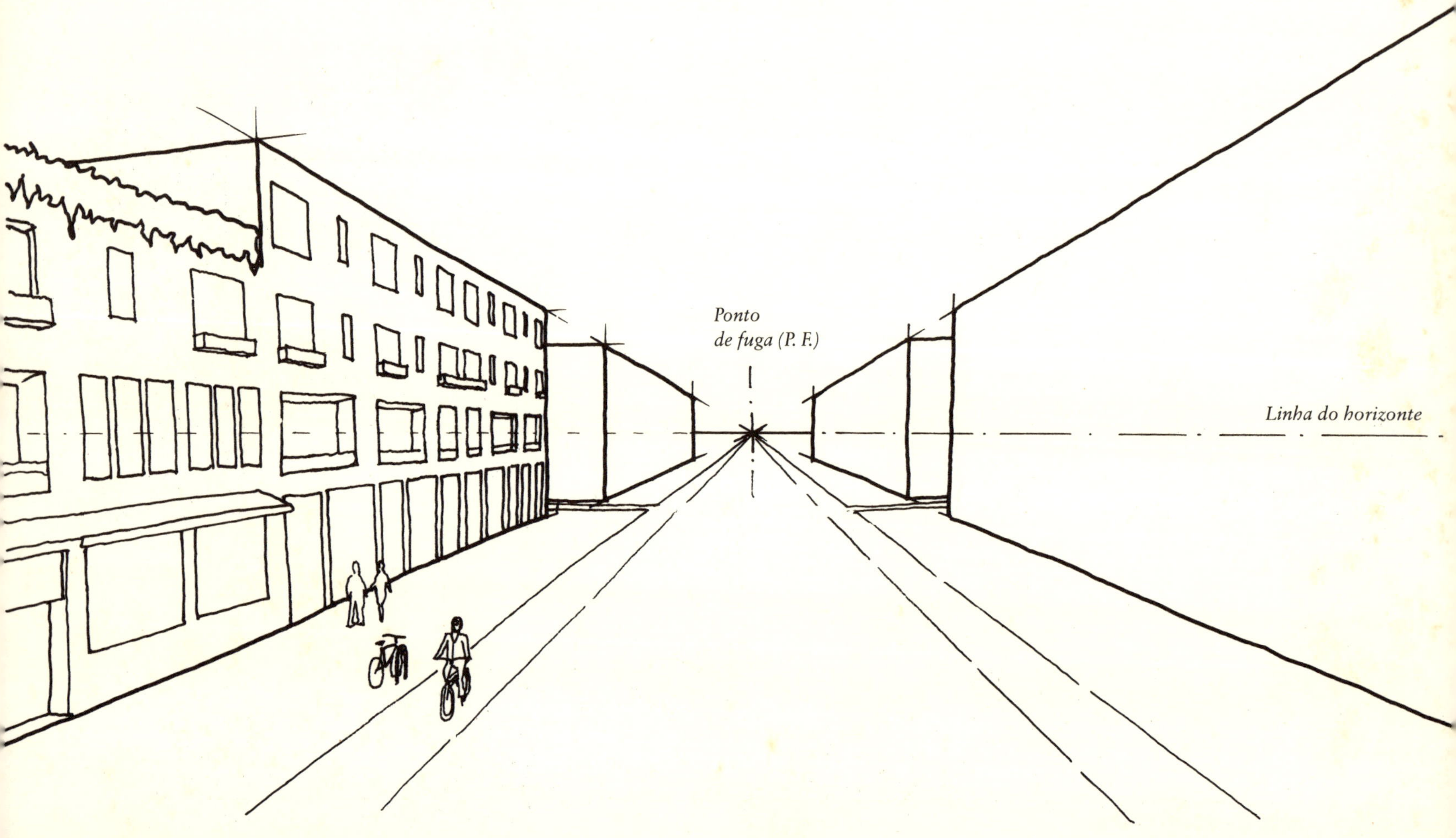

A perspectiva com dois pontos de fuga é útil para mostrar edificações como objetos tridimensionais. Estes exemplos mostram como a linha do horizonte (ou nível do observador) modifica a relação de uma pessoa com a edificação (por exemplo, olhar de cima ou de baixo) conforme a linha é deslocada. Como você pode ver, agora temos dois pontos de fuga, ambos dispostos sobre a linha do horizonte. As linhas verticais da edificação estão todas em ângulos retos com a linha do horizonte e paralelas entre si. Ao aproximarmos os pontos de fuga um do outro, obtemos uma imagem distorcida da edificação, que a faz parecer oblíqua. Ao afastá-los, obtemos uma imagem mais achatada.

Perspectivas com dois pontos de fuga

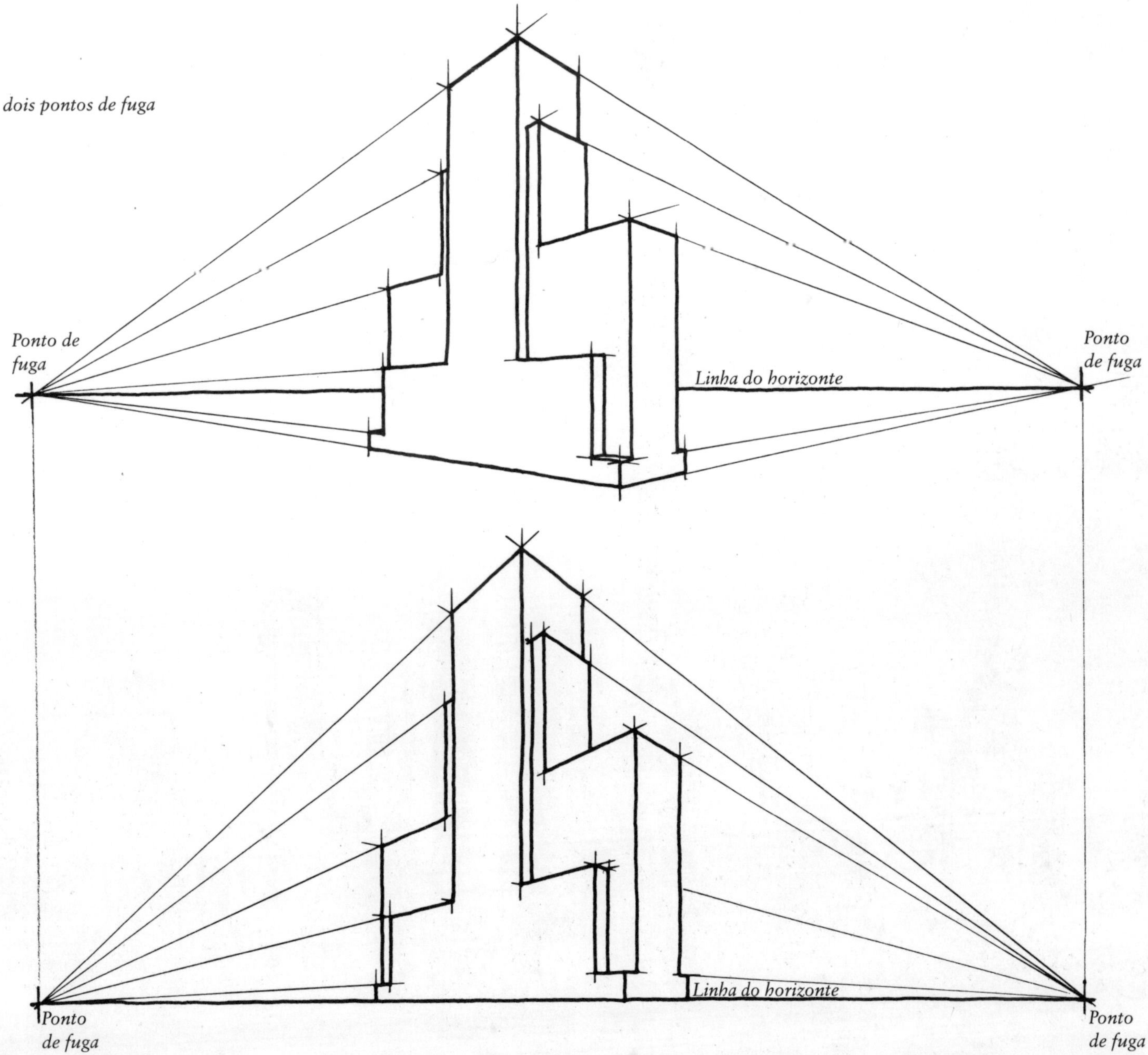

Este panorama da **cidade de Xangai**, na China, visto do mar, está em constante estado de transformação, com novas edificações modificando o horizonte urbano a cada ano.

No espaço disponível, como você modificaria as características desta cidade?

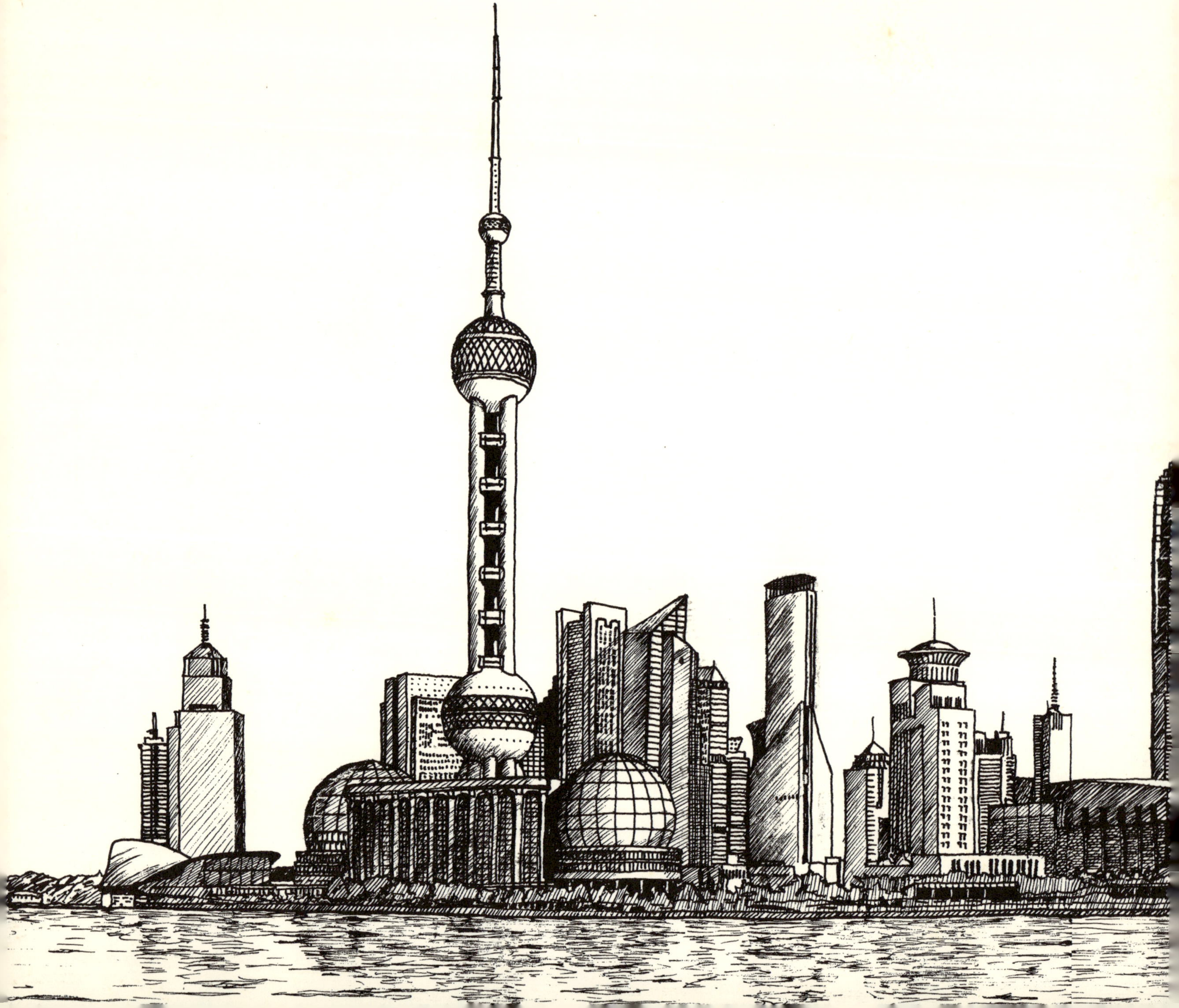

Fachadas de lojas e shoppings configuram grande parte de nossas experiências com as cidades. Aqui estão alguns exemplos de fachadas de lojas que valorizam ou não os bens e serviços nelas oferecidos.

No espaço disponível, desenhe uma fachada de loja para um item específico.

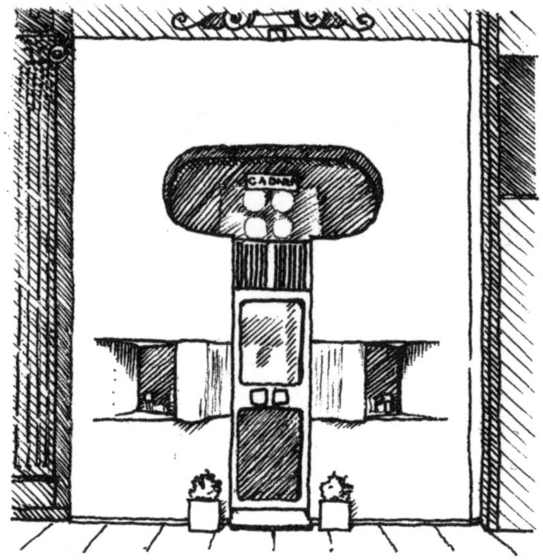

À esquerda: Salon Mittermeier, salão de beleza, Linz, Áustria. Xarchitekten, 2008.
Acima: Retti, loja de velas, Viena, Áustria. Hans Hollein, 1965.
Abaixo: Konzepp Store, loja de roupas, Hong Kong. Geoff Tsui, 2010.

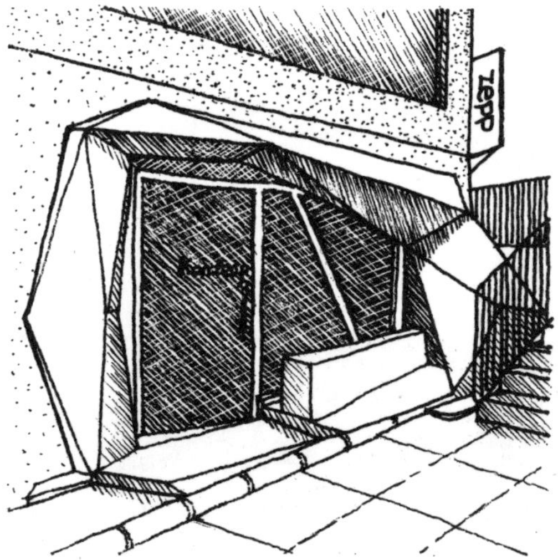

Derinkuyu é uma antiga cidade subterrânea

(entre os séculos XVIII e XVII a.C.) do Império Médio no distrito Derinkuyu da província Nevsehir, na Turquia. Estendendo-se por muitos níveis, até uma profundidade de aproximadamente sessenta metros, era grande o suficiente para abrigar pelo menos 20 mil pessoas, bem como seu gado e suprimentos alimentícios. Esta é a maior cidade subterrânea escavada na Turquia e é apenas um dentre diversos complexos subterrâneos encontrados na região da Capadócia.

Complete este corte com sua própria cidade subterrânea.

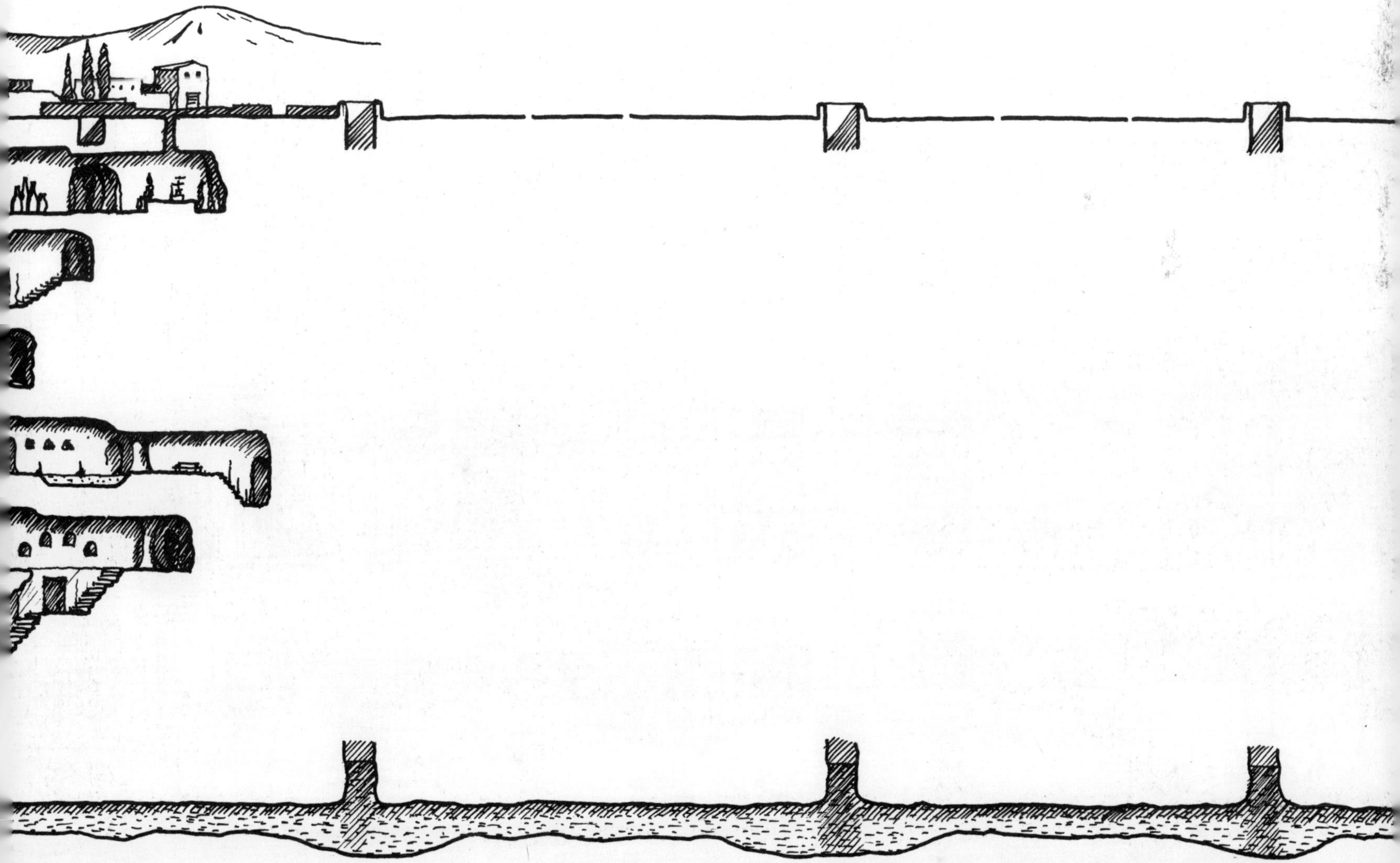

A questão do **contexto urbano** nas cidades sempre foi muito debatida. Este exemplo de reforma de um pequeno e típico edifício com revestimento de arenito castanho, projetado pelo arquiteto Edward Durrell Stone para seu uso pessoal em 1956 na cidade de Nova York, foi alvo de muitas controvérsias devido ao forte contraste com os edifícios vizinhos. Atualmente, ele é protegido como um marco urbano oficial da cidade.

Utilizando os vãos entre o casario, que tipo de fachadas você projetaria? Contextuais? Não contextuais?

Estas silhuetas representam **cidades famosas**. Você consegue dizer quais são elas e inventar suas próprias imagens de cidades?

Desenhe suas próprias silhuetas de cidades e procure inventar algumas formas icônicas memoráveis.

A **ponte do desvio da barragem Hoover**

(cujo nome oficial é ponte memorial Mike O'Callaghan-Pat Tillman) é uma ponte arqueada que atravessa os 323 metros do rio Colorado entre o Arizona e Nevada. A ponte foi construída para redirecionar a Route 93 para fora da barragem Hoover e foi concluída em 2010.

Se você tivesse a oportunidade de projetar uma estrutura tão significativa, que tipo de ponte desenharia?

Minha filha Phoebe e eu decidimos fazer uma **maquete de cidade** utilizando utensílios, vasilhames e condimentos da cozinha. Este desenho incompleto é metade do que fizemos.

Procure repetir o exercício e adicione sua própria versão a meu desenho!

Acima das coberturas de Manhattan existe uma paisagem dominada por cerca de 17 mil **caixas d'água**. Com a maioria delas ainda em uso (algumas foram convertidas em ampliações da cobertura), um grupo de educadores teve a ideia de utilizá-las como tela para divulgar a crise mundial de água. Em 2014, o "Water Tank Project" (Projeto Caixa d'Água) foi lançado e convidou mais de cem artistas famosos e estudantes de escolas públicas de Nova York para propor uma série de intervenções artísticas para revestir essas estruturas como parte da campanha de conscientização.

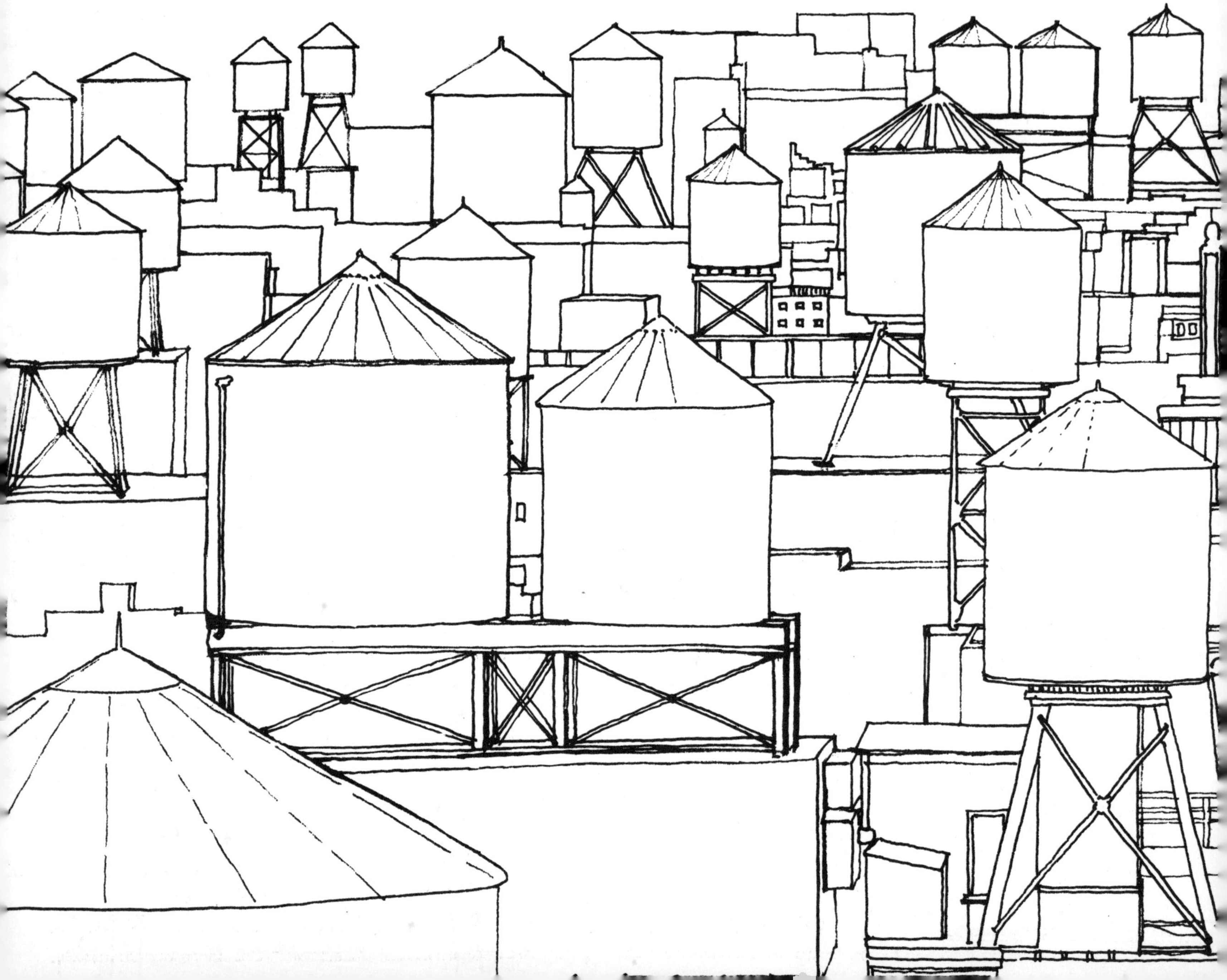

Como você divulgaria esse ou outro assunto público nas "telas em branco" das caixas d'água?

Nos últimos anos, os singelos **bancos de praça** vêm literalmente se retorcendo e assumindo formas surpreendentes. Estes três são alguns exemplos que elevaram essa peça humilde e prática do mobiliário urbano ao nível de esculturas.

Banco "Spaghetti", Pablo Reinoso, 2006.

Banco "The Blue Carpet", Heatherwick Studio, 2002.

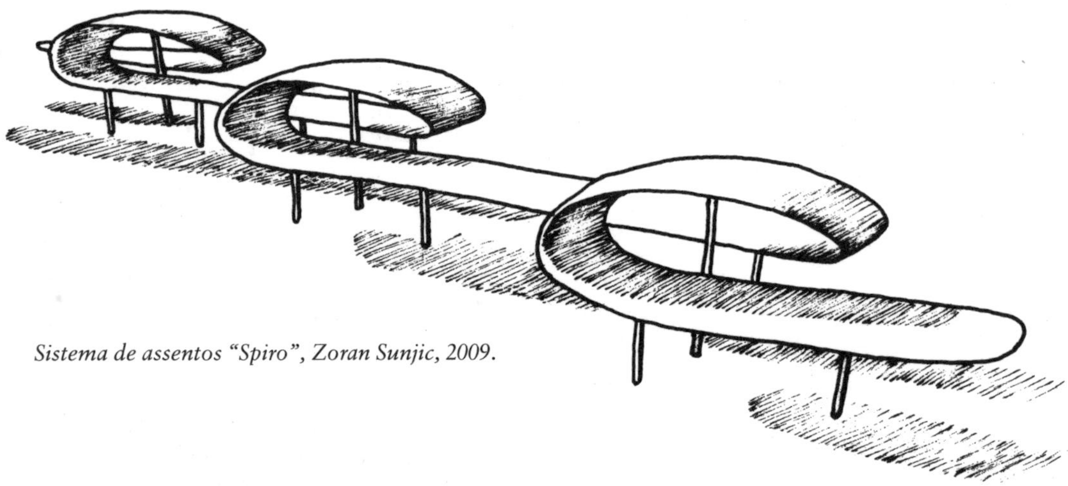

Sistema de assentos "Spiro", Zoran Sunjic, 2009.

Se você fosse contratado para fazer o design de um banco de praça, como ele seria? Pense nos materiais e no desgaste cotidiano.

Este famoso baile à fantasia de arquitetos, o **baile das Beaux-Arts**, que aconteceu em Nova York em 1931, convidou os projetistas a se vestirem como suas próprias edificações.

Projete e desenhe uma edificação que você gostaria de ser no modelo disponibilizado.

Ely Jacques Kahn como edifício Squibb, William Van Alen como edifício Chrysler e Ralph Walker como edifício Nº 1 Wall Street.

Página seguinte: vestido de coluna jônica do filme Histórias Reais*, de David Byrne, em 1986.*

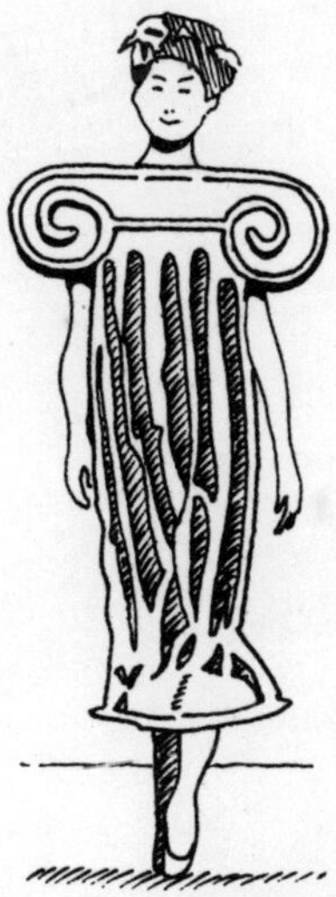

Situado em um dos cantos da praça Trafalgar, em Londres, o **Quarto Plinto** permaneceu sem esculturas por 150 anos depois de sua criação. Em 1999, a Royal Society of Arts decidiu que, em vez de contratar a criação de uma escultura permanente para o local, usaria o plinto para exibir obras de arte temporárias de diversos artistas.

Que escultura você criaria para o Quarto Plinto?

"Monumento". Rachel Whiteread, 2001.

"Hahn/Cock". Katharina Fritsch, 2013.

Acredita-se que as 180 **torres da Bolonha medieval**, construídas na Itália entre os séculos XII e XIII, foram erguidas por ricas famílias feudais bolonhesas. A ausência de controle do Estado permitiu o desenvolvimento de uma sociedade sem leis, nas quais as famílias precisavam construir torres cada vez mais altas para se defenderem umas das outras. Infelizmente, apenas duas dessas torres ainda estão de pé. Imagine como a cidade seria agora se essas torres tivessem sobrevivido. Talvez novas amizades se formassem?

Como você reconectaria as famílias desta cidade? Talvez com diferentes tipos de pontes conectando as torres?

A **Torre de Cápsulas Nakagin**, projetada por Kisho Kurokawa, foi concluída em Tóquio, no Japão, em 1972. Essa edificação é um dos poucos exemplares remanescentes do metabolismo japonês e foi o primeiro exemplo permanente de arquitetura de cápsulas. As cápsulas de morar medem 2,3 × 3,8 × 2,1 metros e são conectadas a duas torres de serviço de concreto.

Que unidades de habitação você conectaria às duas torres formadas pelas caixas de elevador e escada?

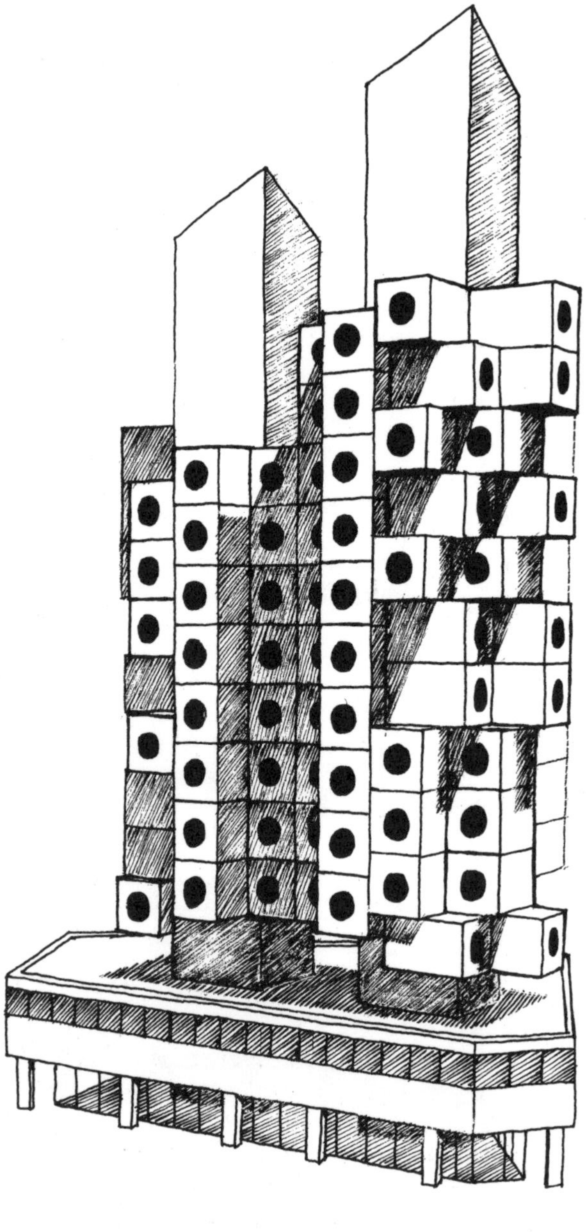

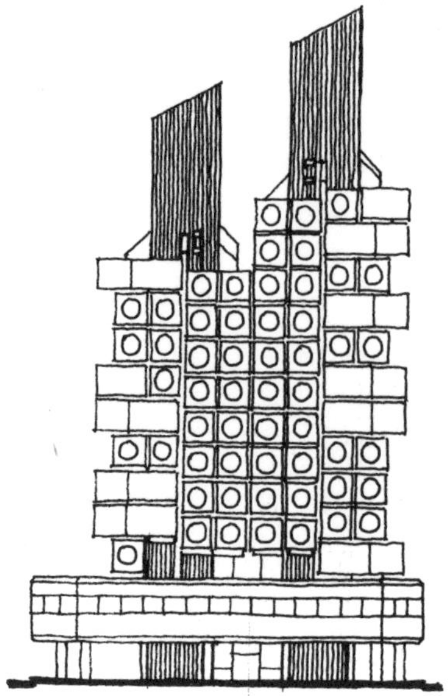

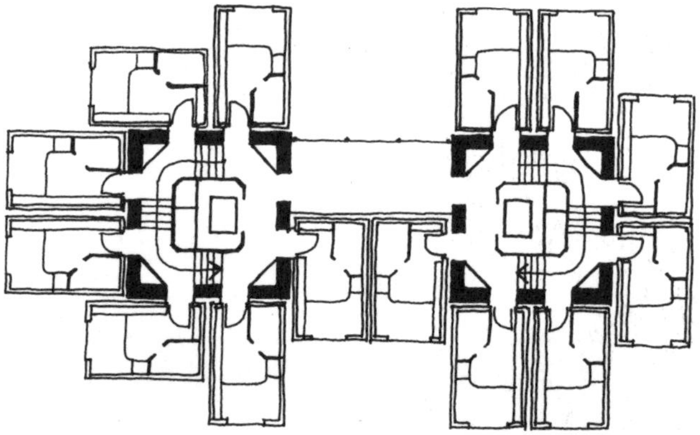

A **Somerset House**, construída em 1776 por sir William Chambers, é uma ampla edificação com pátio interno à beira do rio Tâmisa, no centro de Londres. Os prédios já abrigaram inúmeras entidades, incluindo secretarias governamentais e sociedades de educação. Recentemente, eventos culturais e artísticos têm sido sua atração principal. Nos últimos dez anos, o pátio interno sediou programas regulares de cinema ao ar livre, patinação no gelo, eventos de moda, apresentações de rock e de dança.

Que eventos você sugeriria promover neste pátio interno e que instalações seriam necessárias para dar suporte a essas atividades?

Banheiros públicos cumprem uma função importante para os habitantes de qualquer cidade. Geralmente são muito feios, mas não precisam necessariamente ser assim. Os dois exemplos mostrados aqui são escultóricos e mais parecem instalações artísticas dispostas no ambiente de um parque público.

Parque de Arquitetura de Jinhua, China.
DnA Design and Architecture, 2004.

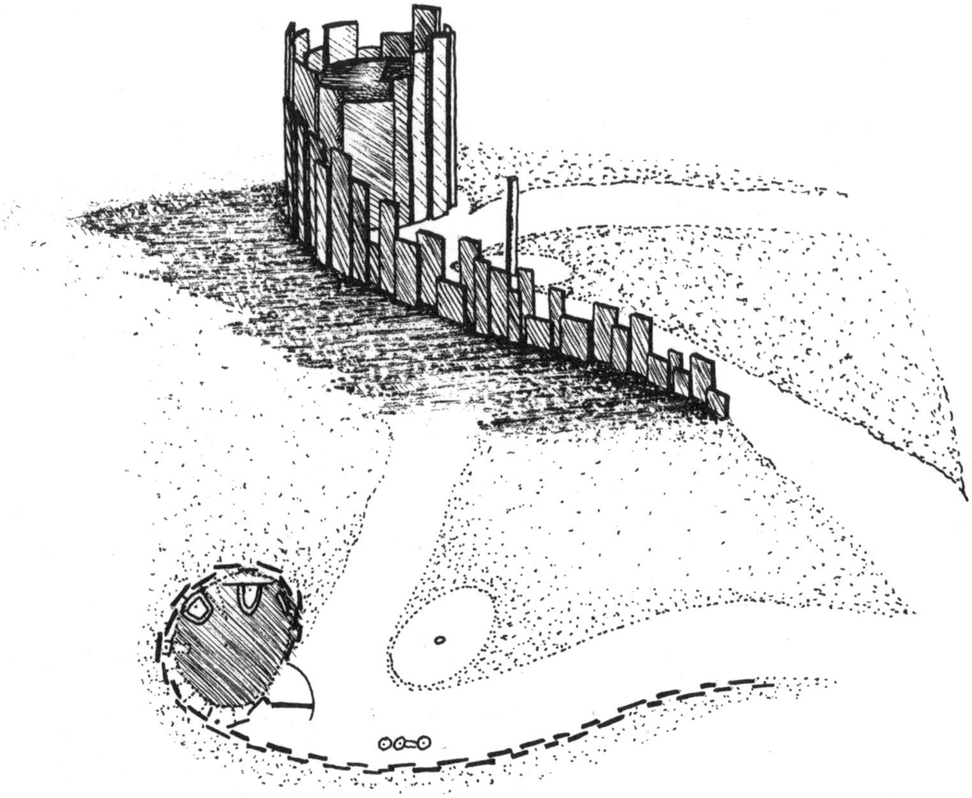

Banheiro na Trilha, Austin, Texas, Estados Unidos.
Miró Rivera Architects, 2007.

Invente seus próprios banheiros públicos, considerando iluminação, ventilação e aparência.

A **entrada** de um prédio — sua porta de acesso principal —, pode ser concebida como o elemento de transição entre a esfera pública da rua e o mundo particular de seu interior. A maior parte das entradas de edifícios é bastante comum, não dizendo nada sobre as pessoas, eventos e funções de seu interior. As duas portas de acesso mostradas aqui sugerem uma narrativa além da entrada.

Edifício Binóculo (antigo edifício Chiat/Day), Los Angeles, Califórnia, Estados Unidos. Claes Oldenburg/Coosje van Bruggen e Frank O. Gehry, 1991.

Le Cabaret de l'Enfer, Paris, França, 1898.

Crie a entrada de um edifício com uma das seguintes funções: loja de animais de estimação, centro de reciclagem ou fábrica de chocolates.

Quando caminhamos por uma cidade, frequentemente percebemos nossa trajetória como um **conjunto de vistas enquadradas** contendo lugares, objetos, acontecimentos, espaços e pessoas. A sequência desenhada pode ser transformada em um storyboard, e muitas vezes é desse modo que os cineastas imaginam o pano de fundo de uma cena em um filme. Meus desenhos fazem um passeio ao redor da área da Saint Paul's Cathedral, em Londres. Perceba que cada quadro possui pelo menos uma parte da imagem anterior, de modo a conectar a história.

Desenhe um storyboard de percurso pela sua cidade, mas tome cuidado para interligar os quadros

O desejo humano de construir **cidades submarinas** possibilitou que, nos últimos anos, um número considerável de projetistas explorasse o conceito de "arranha-mar". Na versão abaixo, o arquiteto malaio Sarly Adre Sarkum concebeu uma estrutura autossuficiente que converte a própria energia elétrica, obtida da energia solar, eólica e mecânica das ondas do mar. Cada ilha artificial utiliza um sistema próprio de plantação de alimentos e abriga uma pequena floresta em seu topo. O "Arranha-Água" é mantido ereto por um sistema de lastros auxiliado por tentáculos semelhantes aos de uma lula, que geram energia cinética.

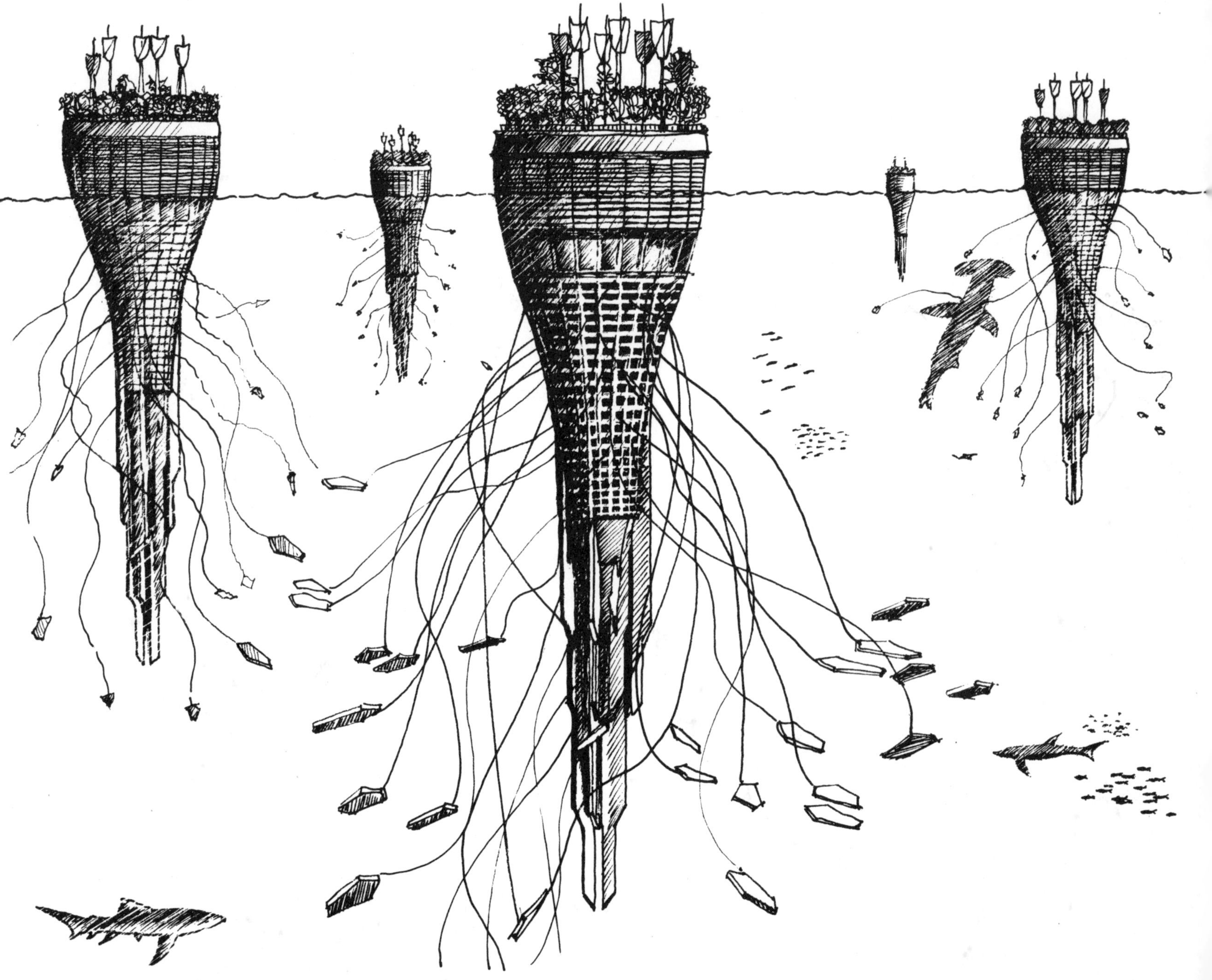

Projete seu próprio "arranha-mar" autossustentável. Pense em como você poderia coletar energia e convertê-la, além de disponibilizar alimentos e áreas para moradia, trabalho e lazer.

A **vitrine da loja Gavina**, em Bolonha, na Itália, projetada por Carlo Scarpa (1961-1963), é um exemplo de uma fachada de loja que define e emoldura os produtos em exposição utilizando uma geometria forte, uma palheta de materiais rústicos, como o concreto armado moldado com a textura das chapas das formas, e um portão de inspiração japonesa.

Projete sua própria vitrine de loja, utilizando geometria abstrata, para exibir obras de arte moderna.

Abaixo está um exemplo de uma das primeiras formas de **ventilação natural** na cidade de Hyderabad, fundada em 1768 por Mian Ghulam Shah Kalhoro na província paquistanesa de Sind. As torres triangulares funcionam quase como chaminés nos topos das moradias e servem para direcionar correntes de ar fresco para seus interiores. Você também pode ver BedZED, um exemplo moderno projetado pelo arquiteto Bill Dunster para moradias sustentáveis na periferia de Londres, em 2002 (abaixo, à direita).

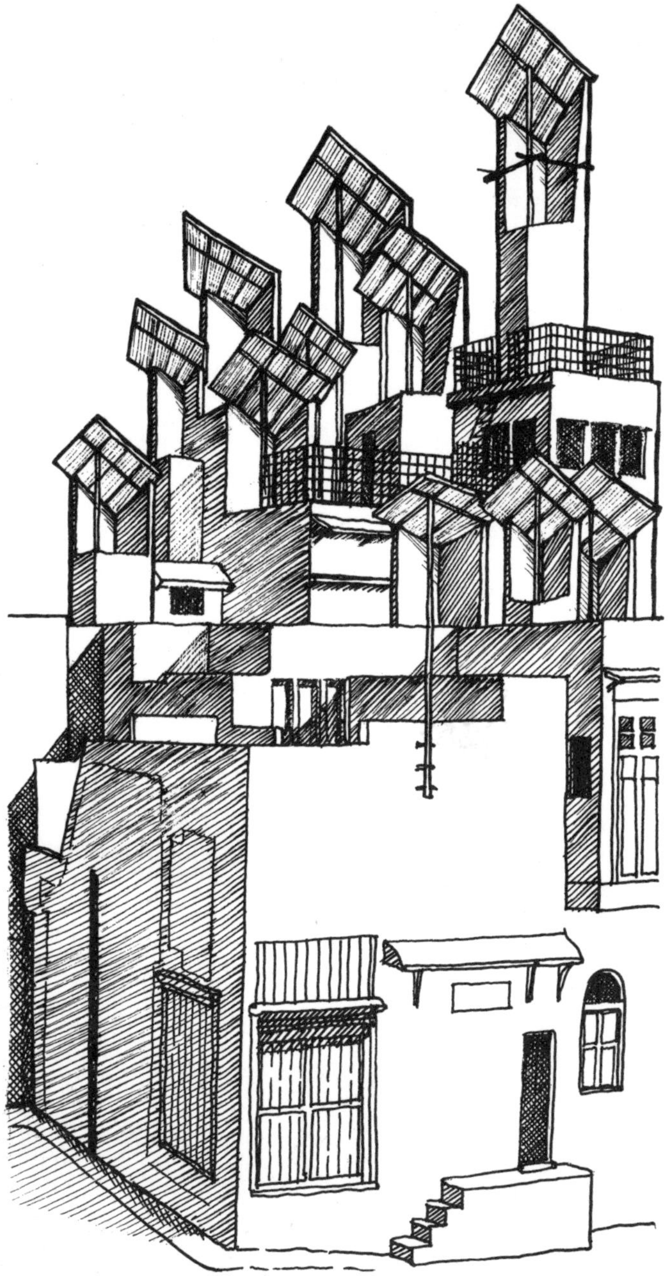

Esboce uma série de ideias para coletores de vento nestas coberturas tradicionais e leve em consideração aspectos como sua possível rotação e os materiais dos quais poderiam ser constituídos.

Muitas cidades possuem um **monumento ou estátua** que simboliza a liberdade ou a proteção de seu povo. O Rio de Janeiro possui a estátua do Cristo Redentor, Nova York tem a estátua da Liberdade, e Gizé, no Egito, a Grande Esfinge. O que há na sua metrópole mais próxima?

Desenhe uma estátua que você imagina que poderia ser um símbolo de proteção para os cidadãos.

Enquanto pesquisava diferentes **pontos de ônibus**, deparei-me com alguns exemplos que representavam algum aspecto cultural e pensei que seria interessante projetar um ponto de ônibus destinado a um lugar ou cidade específicos.

À esquerda: Ponto de ônibus Lavaca, San Antonio, Texas, Estados Unidos. Carlos Cortes, 2005. Contratado pelo Escritório de Assuntos Culturais.
À esquerda, abaixo: Ponto de ônibus Taraz, Cazaquistão, arquiteto desconhecido.
Abaixo: Ponto de ônibus "Cascata", Orlando, Flórida, Estados Unidos. John Marhoefer/Walt Geiger, 2012.

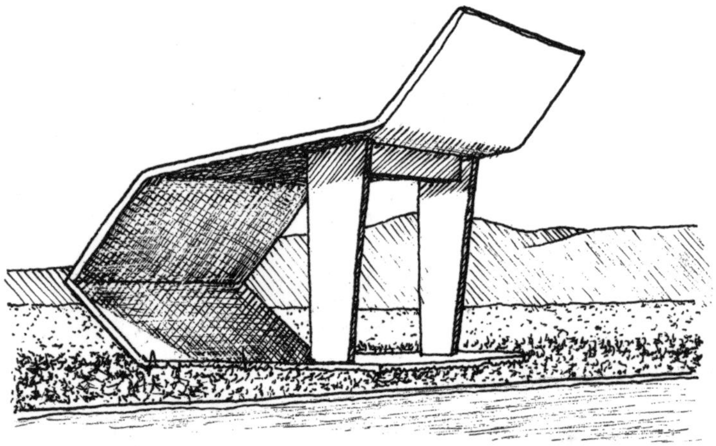

Faça um croqui de sua própria versão nesta cena urbana.

A **iluminação viária** é uma parte importante de qualquer cidade, auxiliando a manter os locais seguros à noite. Recentemente, foram desenvolvidos postes de iluminação que imitam a maneira como as plantas se abrem para coletar a energia do sol. Este exemplo, projetado por Philips, se abre e absorve a energia solar durante o dia e se fecha e emite luz à noite, mas apenas quando há pessoas por perto.

Esboce suas próprias ideias para a criação de postes de iluminação viária sustentáveis, e pense em maneiras de incluir a geração de energia renovável em seu projeto...

Aqui estão mais algumas **silhuetas de cidades**. Procure identificá-las e, então, crie uma nova silhueta híbrida, utilizando características de cada uma das cidades.

Combine as cidades aqui representadas ou procure incluir marcos urbanos de suas cidades favoritas.

Estas são cópias dos desenhos visionários de **Iakov Chernikhov**, arquiteto construtivista russo, realizados entre 1927 e 1933. Ele usou linhas, blocos e planos para expressar os aspectos maquinistas de suas composições.

Continue esta composição em perspectiva e faça sua própria ampliação para a cidade que ele criou.

Temos aqui dois exemplos do trabalho de Chernikhov em que ele faz uso apenas das técnicas de **linhas e grelhas.**

Desenhe outros dois exemplos, utilizando apenas linhas e retículas com geometria clara.

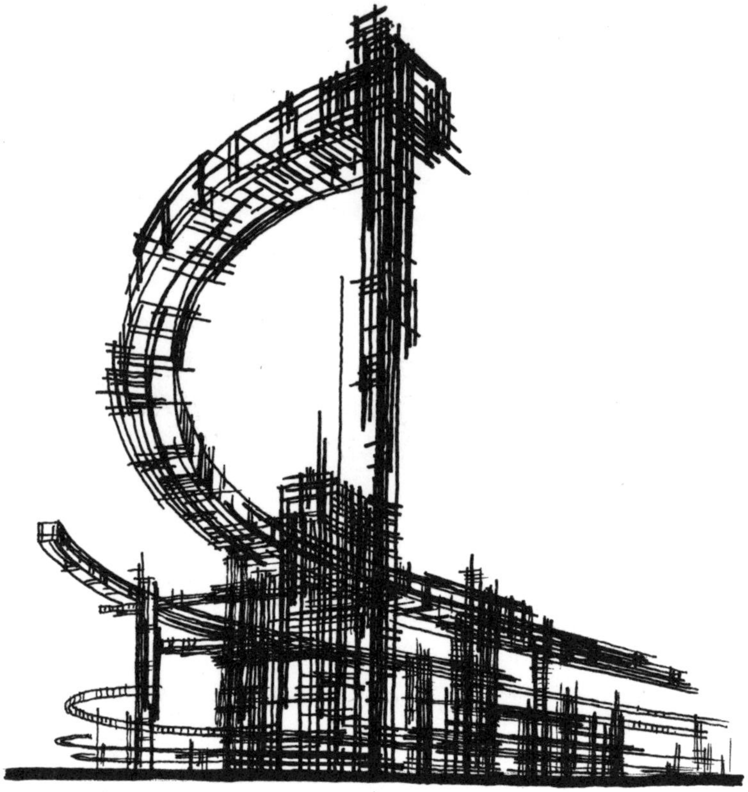

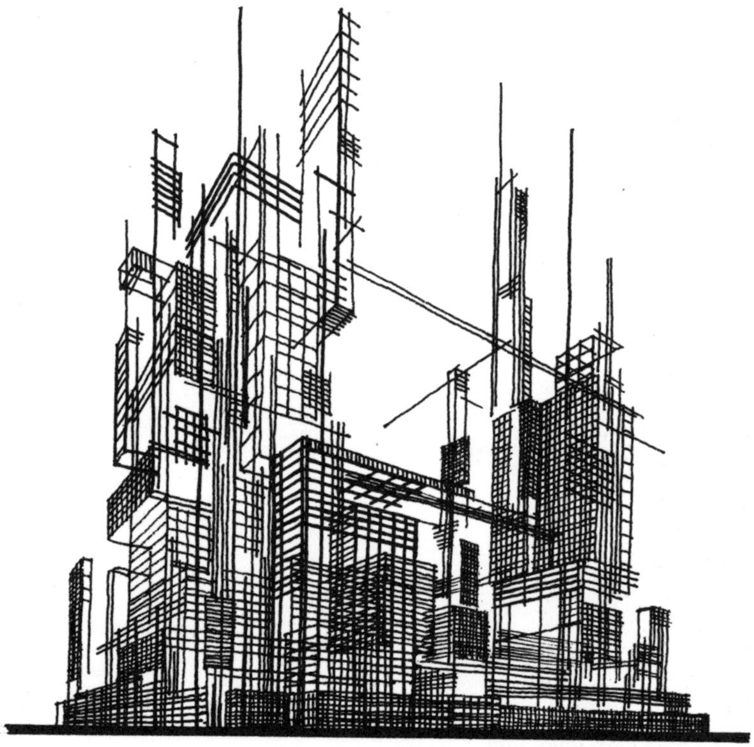

Estas **estações de bonde**, em Hanôver, Alemanha, foram projetadas pela Despang Architekten para a Expo 2000. Enquanto sua estrutura e geometria permanece a mesma ao longo da série, os materiais utilizados para cada estação de bonde são diferentes, escolhidos de modo a refletir as características e a história local do entorno em que cada uma delas se encontra.

Crie sua própria série de paradas, utilizando uma estrutura cuja aparência se transforme de algum modo.

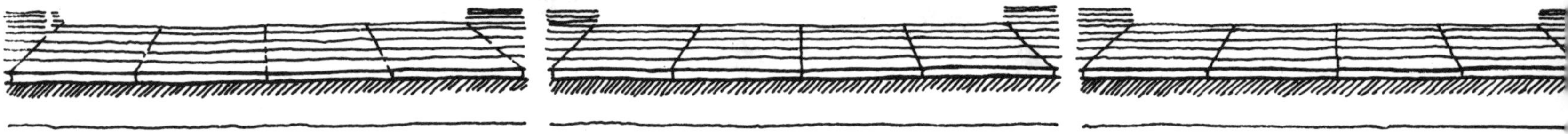

Garton

Aqui está um desenho do espaço ocupado pelo **Central Park**, em Nova York. Projete um novo parque para o século XXI, considerando os tipos de atividade, os eventos e as instalações que atrairiam a atenção e melhorariam a vida dos nova-iorquinos. Eles teriam vontade de praticar esportes ou atividades artísticas? Ou talvez gostariam de um contraste com a própria cidade, como natureza e vida selvagem?

Crie seu próprio parque no espaço disponível.

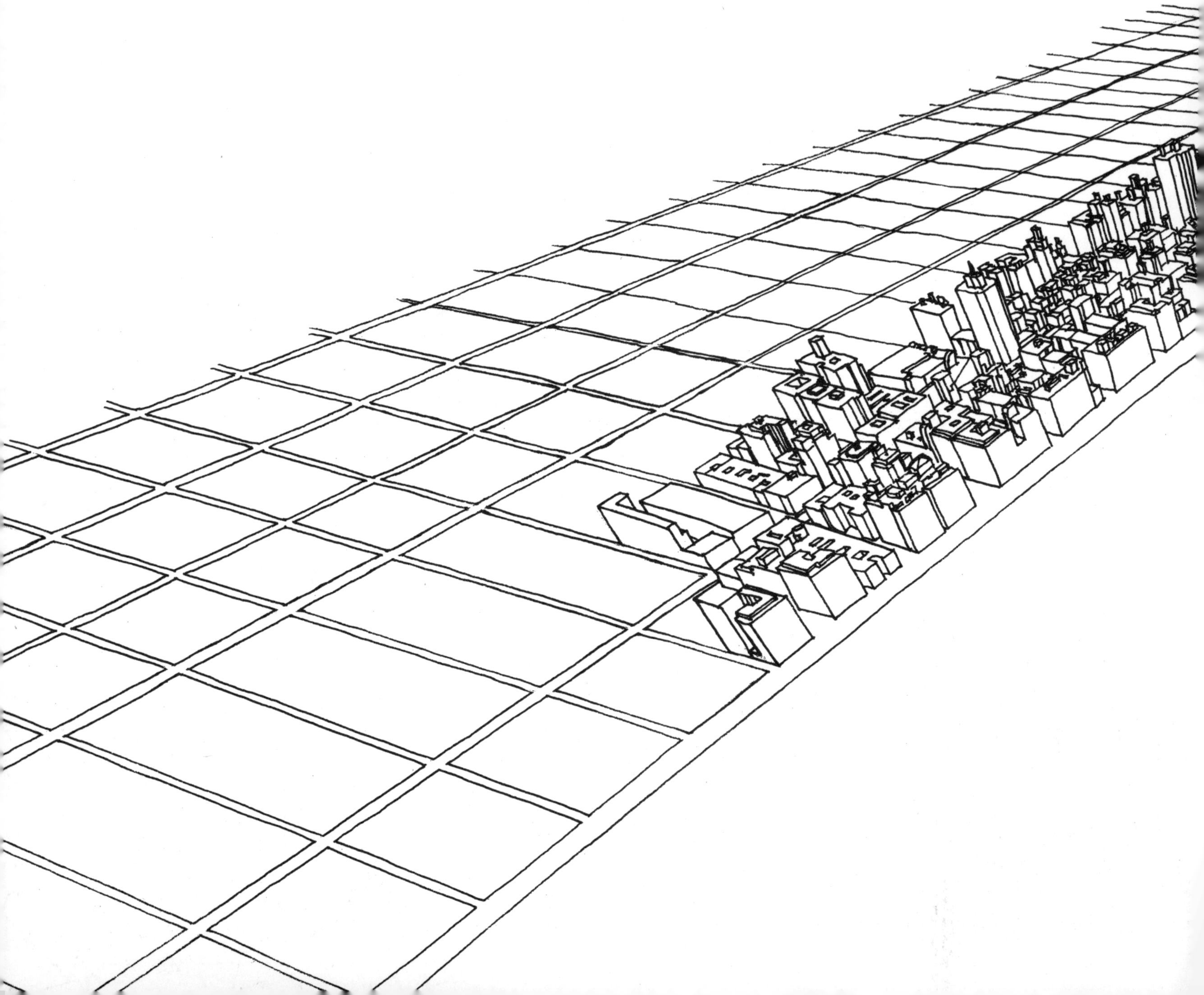

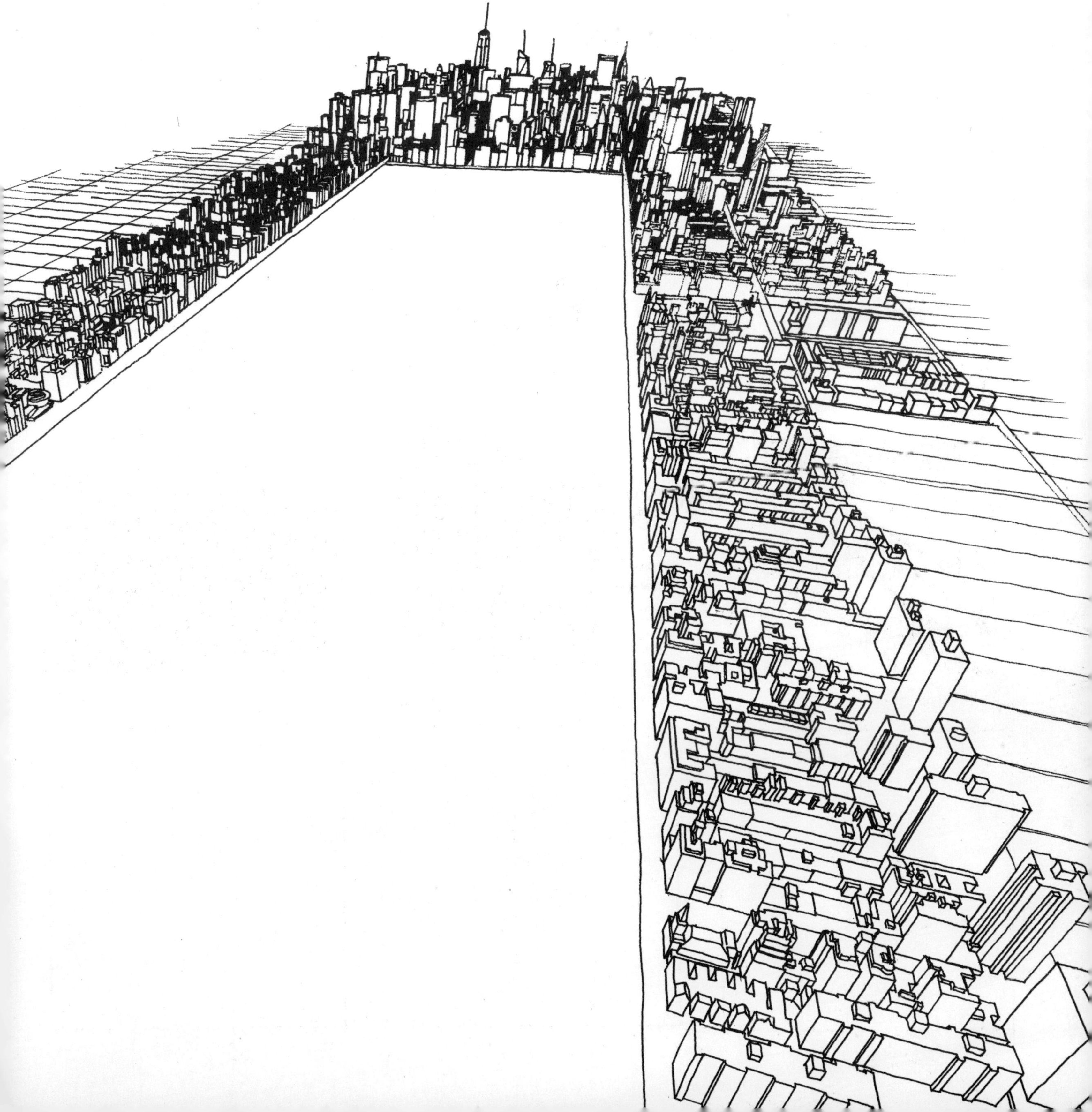

Em seu livro ***A imagem da cidade*** (1960), o urbanista Kevin Lynch propôs que as cidades podiam ser definidas por cinco elementos-chave: caminhos, limites, bairros, pontos nodais e marcos. Para ilustrar esses conceitos, desenhei exemplos em que esses elementos podem ser identificados em um conjunto de metrópoles: Londres, Nova York, San Francisco e Barcelona.

Caminho (Londres)

Limite (Nova York)

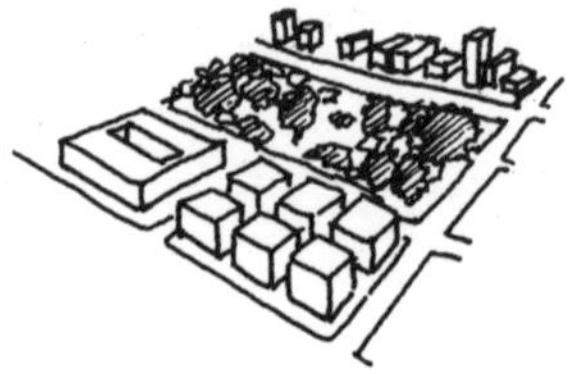

Bairro (San Francisco)

Caminhe pela cidade mais próxima e esboce exemplos de um caminho, um limite, um bairro, um ponto nodal e um marco.

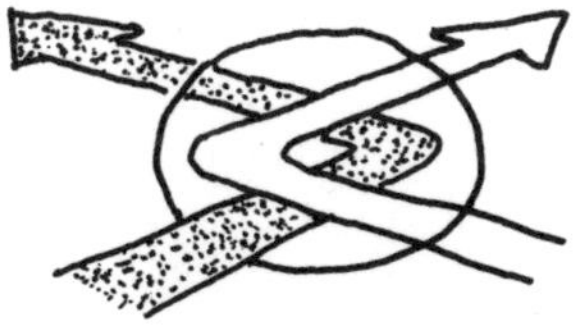

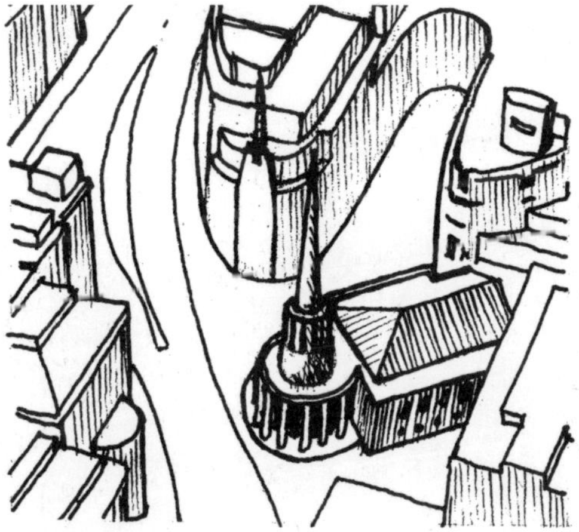

Ponto nodal (Londres)

Marco (Barcelona)

O artista búlgaro Christo e a marroquina Jeanne-Claude são famosos por **embalar edifícios** e paisagens. Em 1995, eles embalaram o edifício do parlamento alemão (o Reichstag), em Berlim, com 100 mil metros quadrados de polipropileno à prova de fogo e tecido de alumínio. O efeito foi simplesmente impressionante.

Utilizando este esboço do Arco do Triunfo, em Paris, como ponto de partida, adicione sua própria embalagem.

Na década de 1960, o célebre grupo de arquitetos de vanguarda **Archigram** desafiou as noções convencionais de como é a vida nas cidades. Os seis membros do grupo criaram designs e contribuíram para projetos de design por meio de uma revista, usando desenhos de pop art e grafismos para expressar suas ideias a respeito do futuro da cultura urbana. Eles projetaram as "Cidades Andantes", "Cidades de Encaixar" e esta "Cápsula de Morar" (1965-1966) nômade, obra de David Greene que eu represento abaixo. Por incrível que pareça, essas ideias sobre a relação entre as cidades e a tecnologia do futuro já têm cinquenta anos.

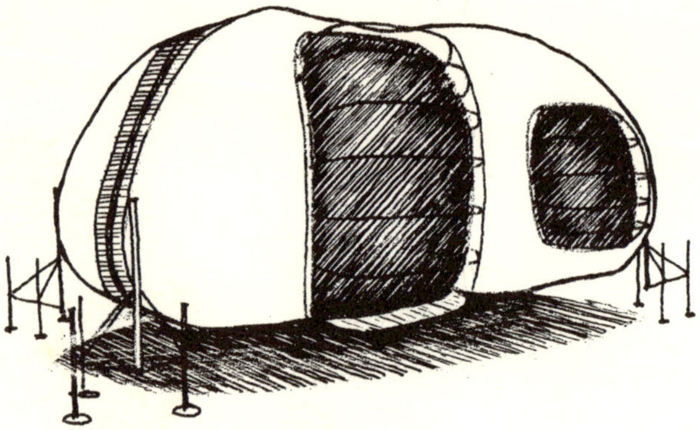

Que tipo de cápsula de morar você proporia, e como a tecnologia atual influenciaria seu design?

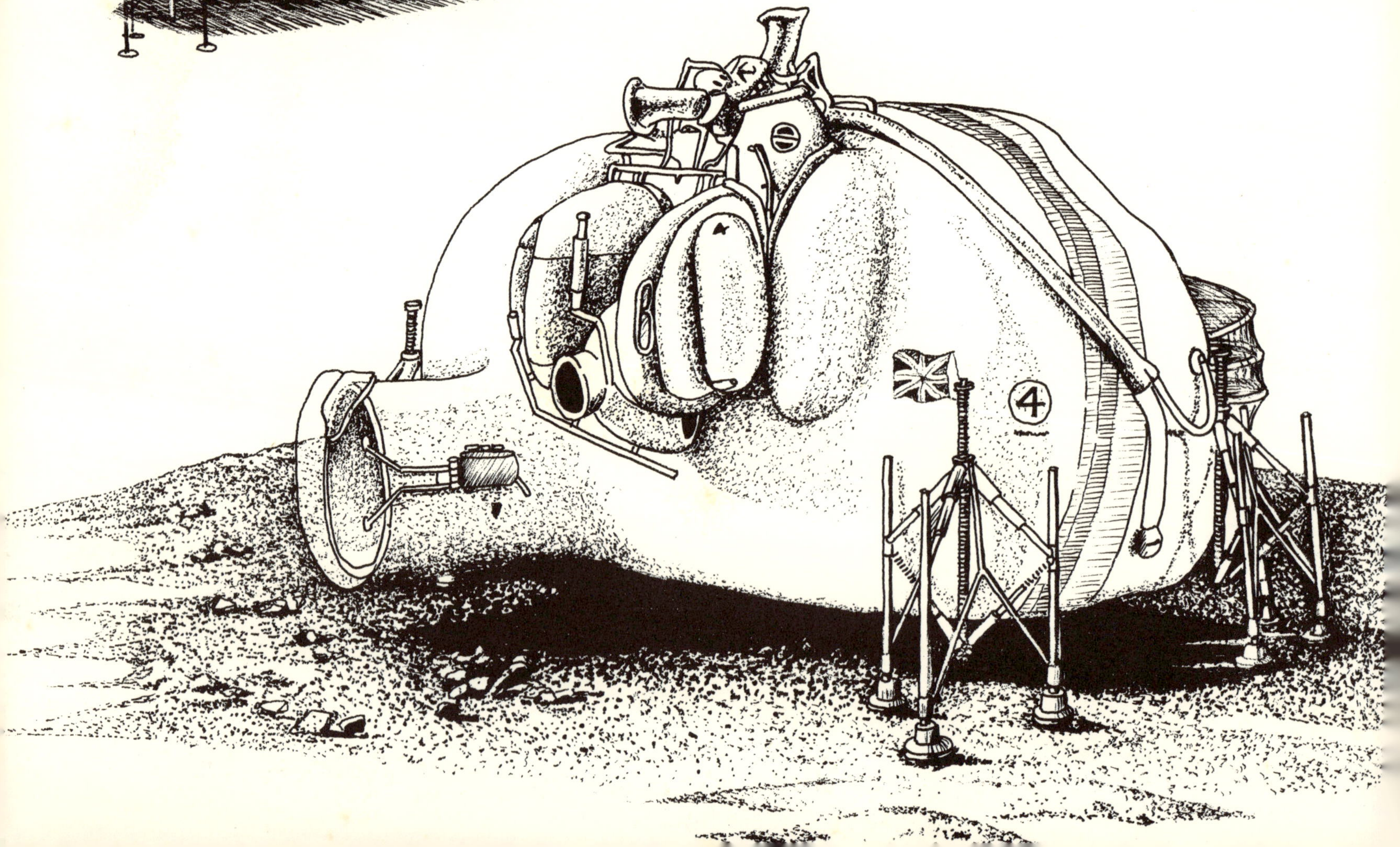

A **galeria comercial** se popularizou nas cidades europeias nos séculos XVIII e XIX e foi a precursora do shopping norte-americano. A galeria comercial proporcionava um lugar seguro, exclusivo para pedestres, com ruas internas cobertas, que eram confortáveis independentemente das condições climáticas e sociais.

Desenhe sua própria galeria. Considere o perfil, a estrutura e como a passagem é iluminada. Que tipos de lojas e cafeterias você incluiria?

Arcada Burlington, Londres. Samuel Ware, 1819.

A maior parte **dos projetos de hipermercados** é pouco interessante. Em 1974, a companhia Best Products desafiou essa noção contratando os arquitetos do Sculpture in the Environment (SITE) para projetar uma série de nove edificações distribuídas pelo território dos Estados Unidos que iriam recaracterizar sua companhia. Os arquitetos do SITE tiveram a ideia de transformar as vedações externas das edificações por meio de uma série de distorções, fragmentações e deslocamentos.

Showroom Notch, Miami, Flórida. SITE, 1979.

Showroom do Projeto Descascado, Richmond, Virgínia. SITE, 1972.

Showroom Inclinado, Towson, Maryland. SITE, 1976.

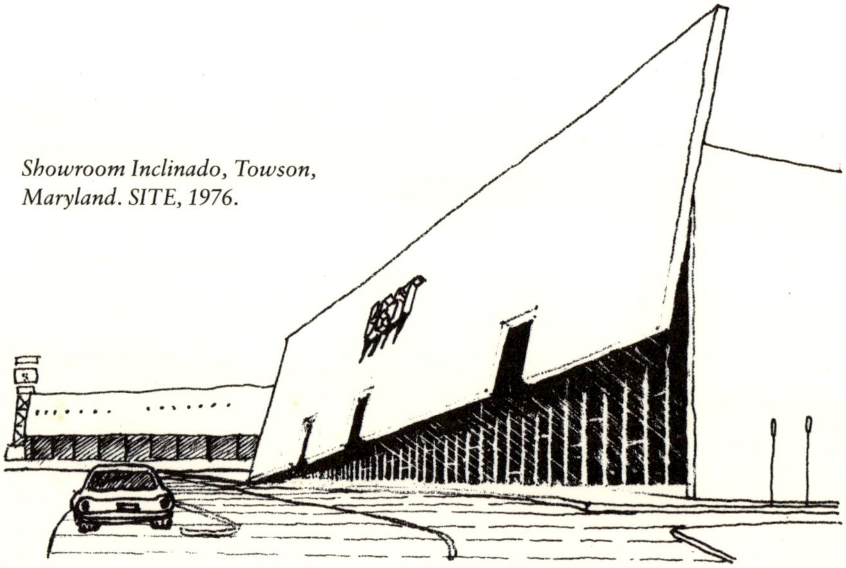

Partindo de uma simples caixa, como você criaria um projeto peculiar para um hipermercado?

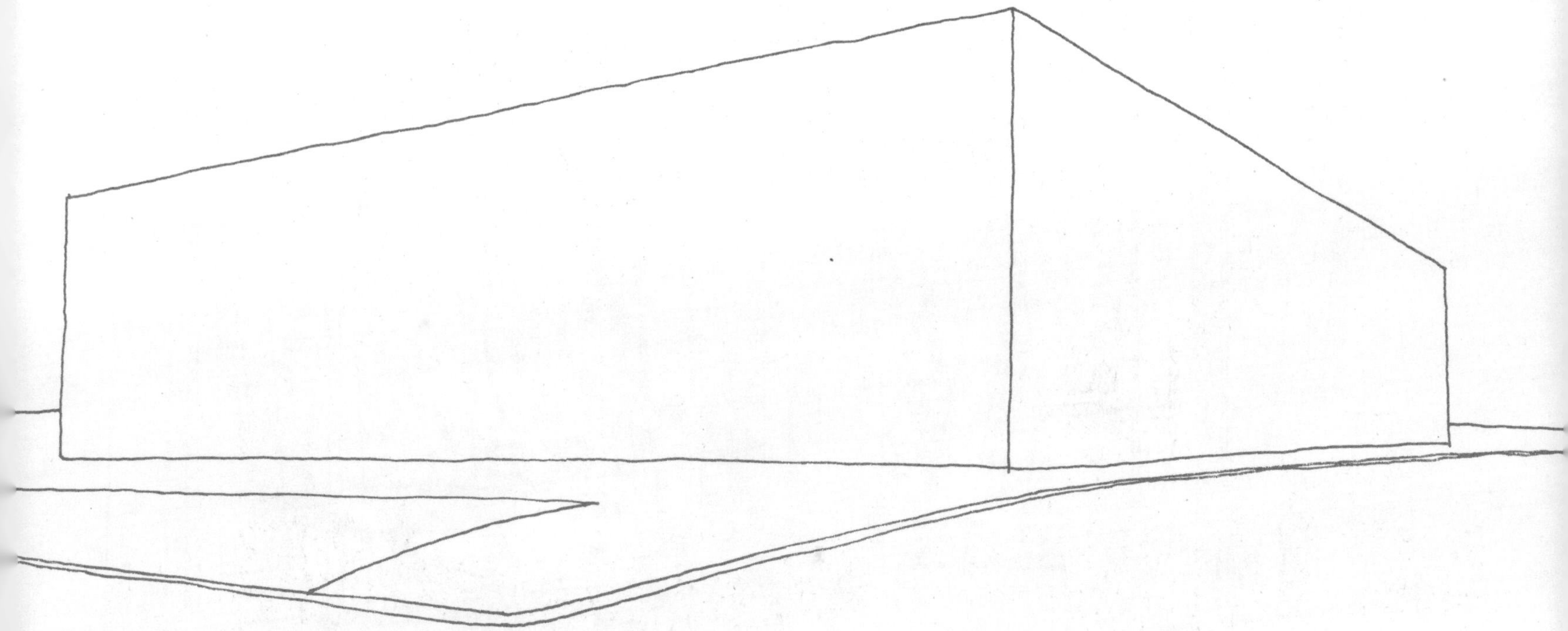

Imagens da cidade representam um papel importante em muitos **filmes, peças de teatro e apresentações musicais**. O exemplo abaixo, influenciado pelo filme *Metrópole*, de Fritz Lang (1927), foi o design utilizado para o cenário de palco da turnê "Diamond Dogs", de David Bowie, em 1974.

Faça seu próprio cenário baseado em uma imagem de cidade para uma peça de teatro, musical ou show de rock.

Cenário de "Diamond Dogs", criado por Jules Fisher e Mark Ravitz, 1974.

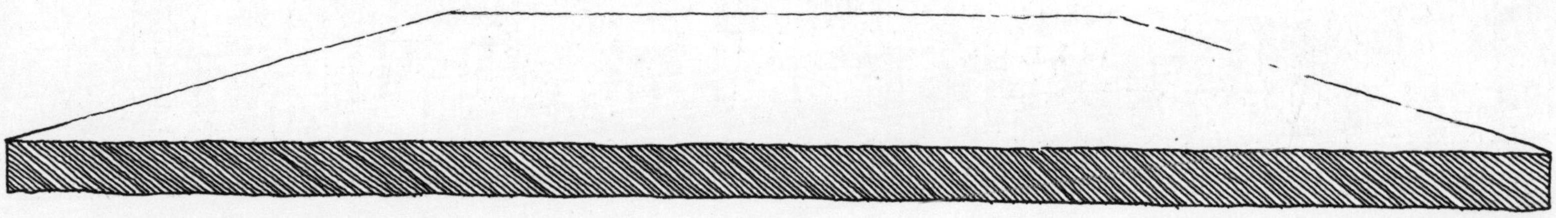

O bairro Akihabara, em Tóquio, Japão, é conhecido como "a **Cidade Elétrica**" em virtude de suas lojas de eletrônicos e da grande quantidade de letreiros de neon. Abaixo, vemos uma das ruas do bairro, com seus típicos letreiros, painéis e propagandas e, na página seguinte, vemos a mesma rua sem nenhum desses atributos.

Você pode colorir a imagem abaixo e inventar sua própria cidade elétrica na página ao lado.

A **Roosevelt Island** é uma estreita ilha situada no rio East, em Nova York, que foi objeto de inúmeros concursos de arquitetura ao longo dos anos. Uma das propostas para os concursos, em especial, foi feita pelo arquiteto alemão O.M. Ungers, em 1975, e imaginava o desenvolvimento urbano como uma série de quadras formadas por diferentes tipologias de edificação, tais como torres, prédios com pátio interno e edifícios escalonados.

Você poderia elaborar outras variações para as quadras de Ungers mostradas aqui?

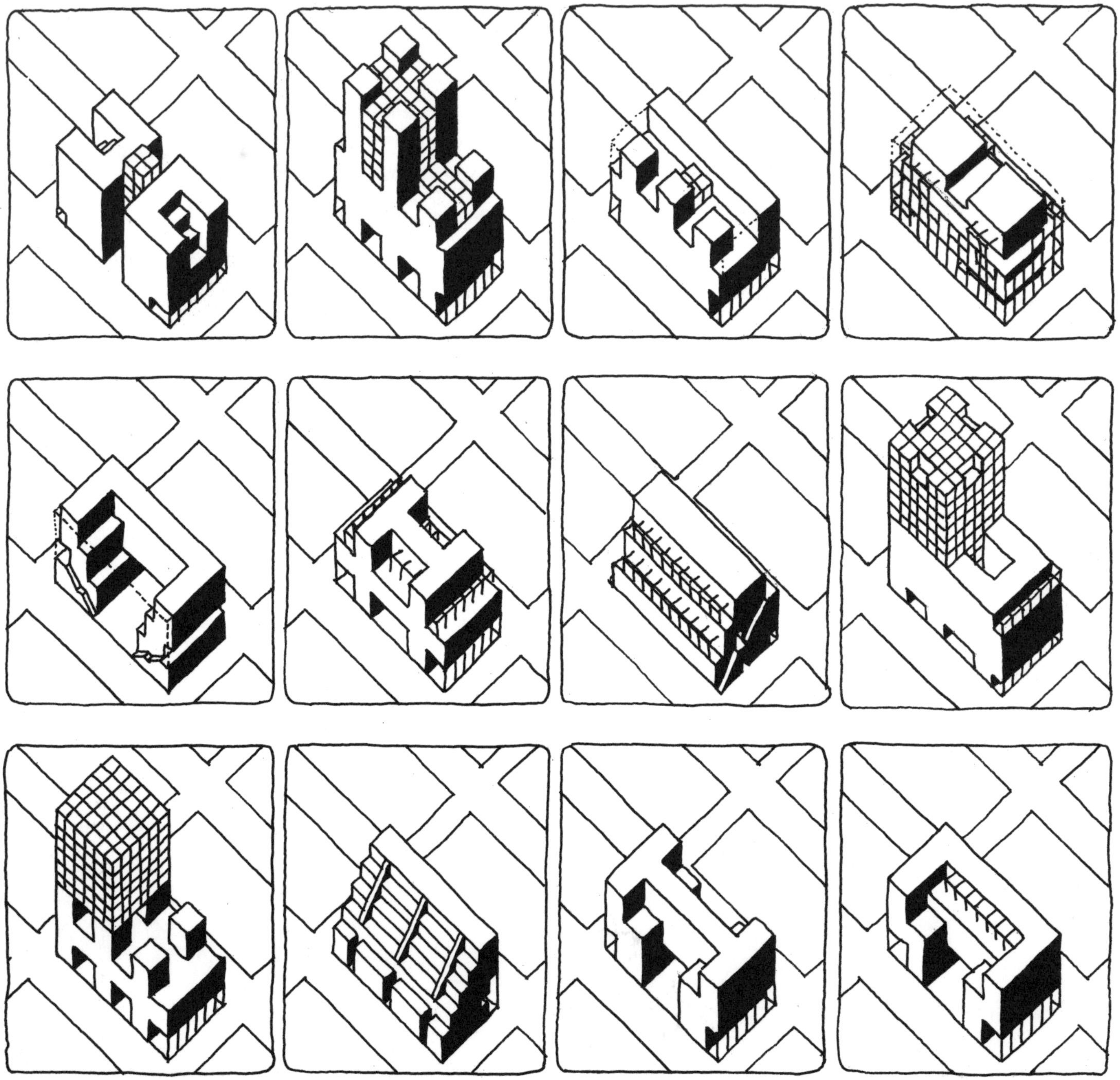

As esquinas e junções de ruas frequentemente são marcadas por importantes **marcos arquitetônicos**.

O Lois & Richard Rosenthal Center for Contemporary Art, em Cincinnati, nos Estados Unidos, projetado por Zaha Hadid Architects (2003), trabalha com a variedade de escalas conflitantes das edificações que o circundam por meio do uso de diversas formas

Na mesma situação, que formas tridimensionais, estrutura e escala você usaria para criar um edifício adequado à excepcionalidade da implantação de uma esquina?

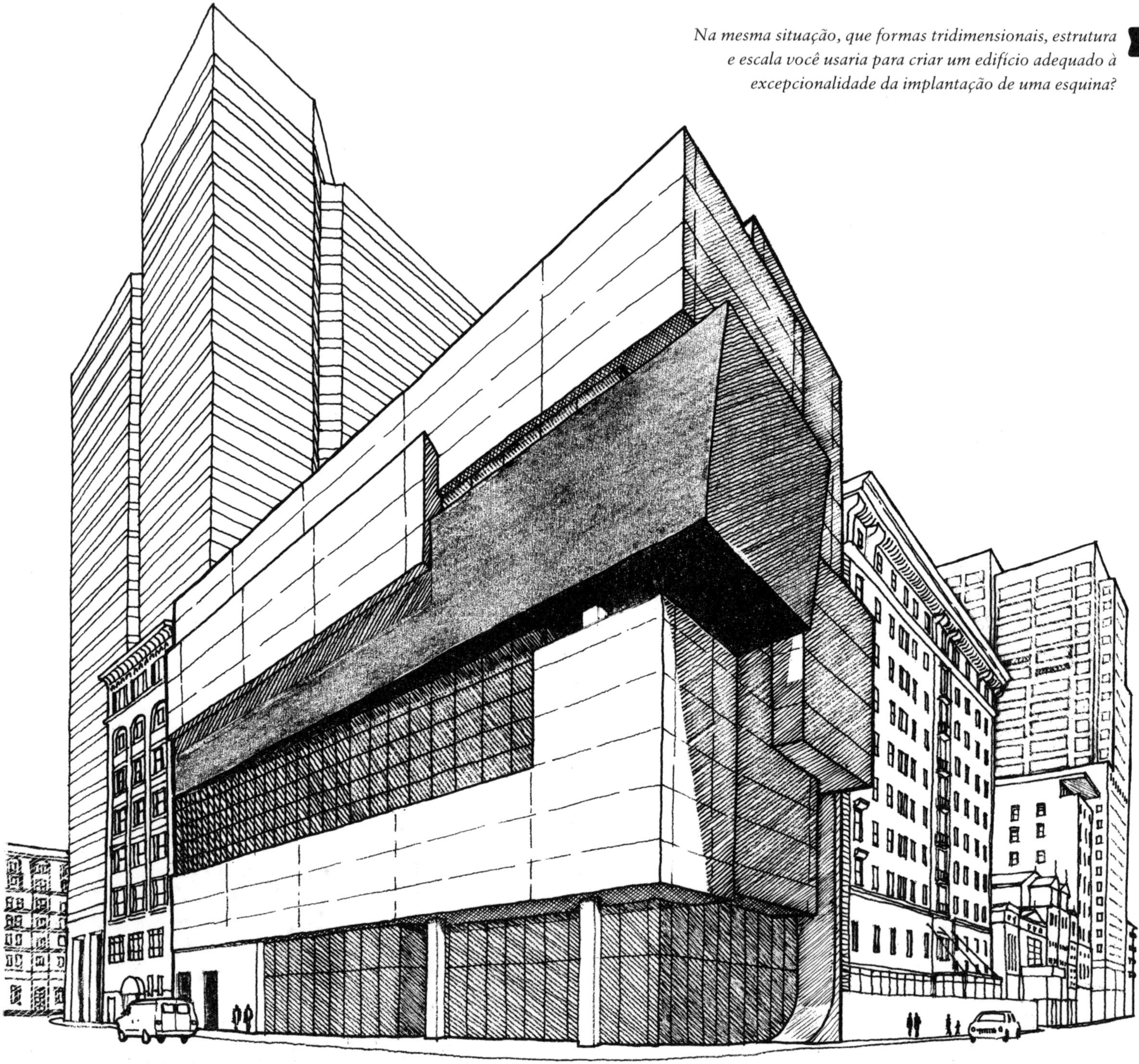

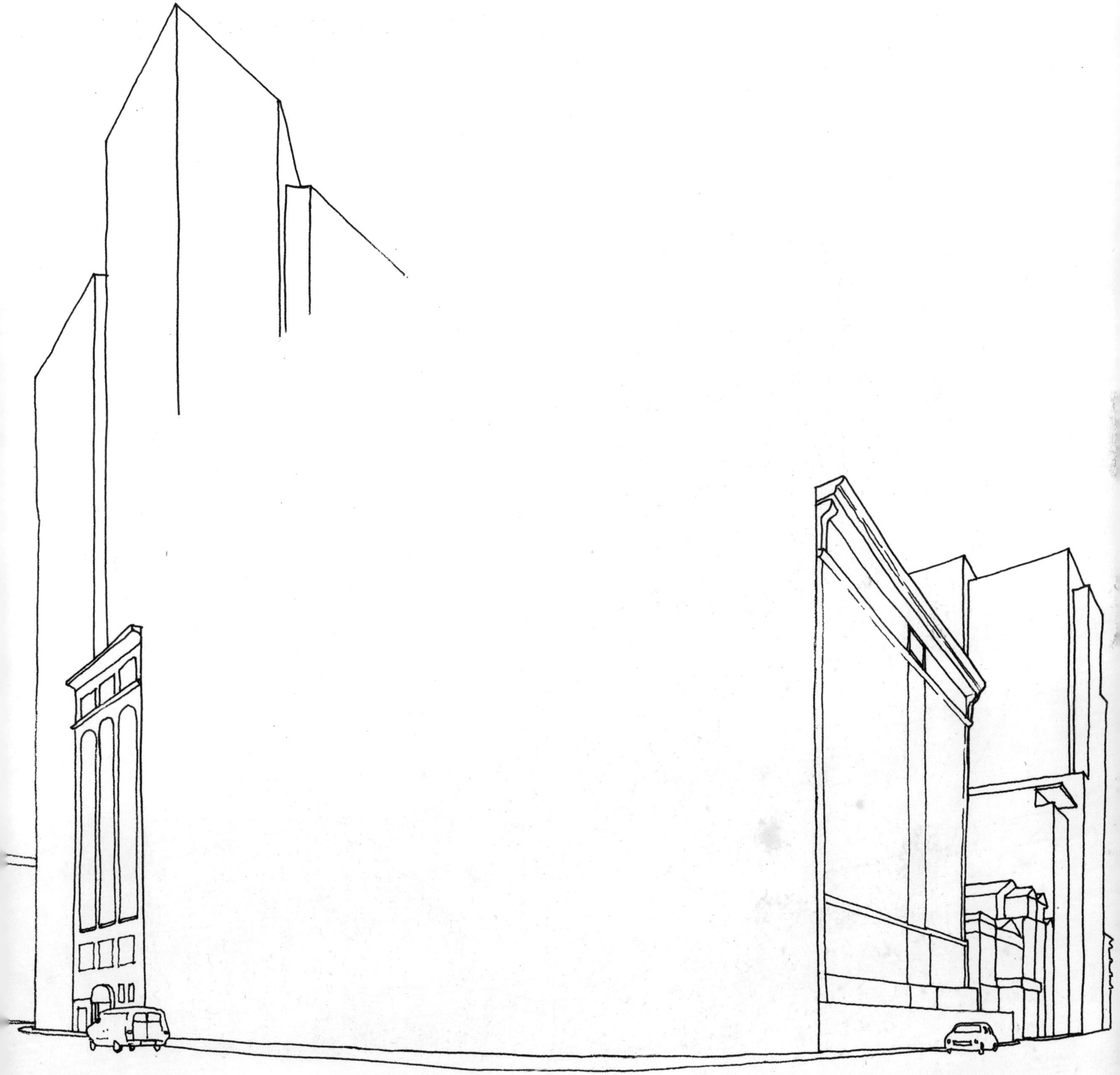

Famoso por inventar a cúpula geodésica, o arquiteto, engenheiro e inventor norte-americano **Buckminster Fuller** sugeriu colocar uma gigantesca semiesfera cobrindo toda a ilha de Manhattan, em Nova York. Ele também calculou que, dentro das condições atmosféricas certas, como no calor do deserto, a sua esfera geodésica flutuaria porque o ar aquecido dentro dos tubos estruturais seria mais leve do que a temperatura ambiente circundante.

Imagine uma cidade totalmente flutuante dentro de uma das estruturas geodésicas de Fuller e esboce seu projeto no espaço disponível.

Este é um típico **espaço público** em uma área comercial urbana. Que amenidades e equipamentos urbanos você incluiria para tornar este espaço útil e interessante?

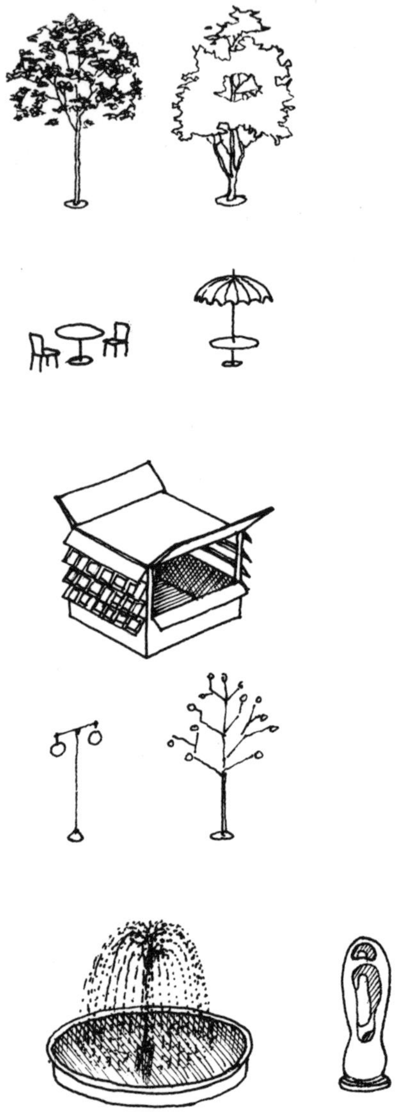

Procure incluir árvores, mesas de café, quiosques, postes de iluminação, chafarizes, esculturas, bancos ou rampas de esqueite.

Em 2011, um concurso para o projeto de uma nova **entrada para o metrô** no centro da cidade foi lançado em San Sebastián, no norte da Espanha. Estes exemplos dos arquitetos das firmas Snøhetta (primeiro lugar) e BABELstudio mostram diferentes propostas para proteção dos usuários, entradas e materiais.

Faça croquis mostrando suas próprias ideias para uma nova estação de metrô e considere a paisagem urbana do entorno.

Acima: BABELstudio.
Abaixo: Snøhetta.

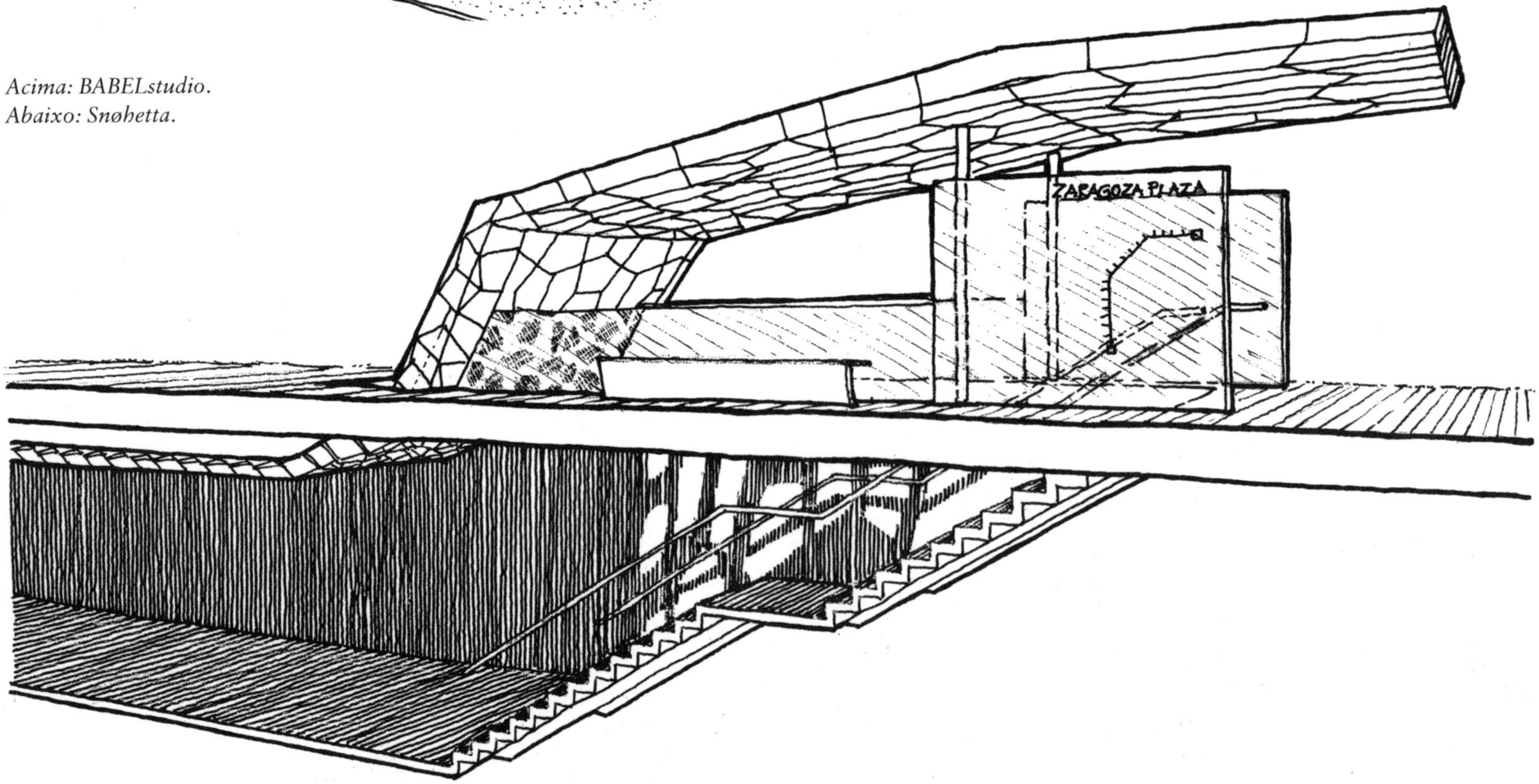

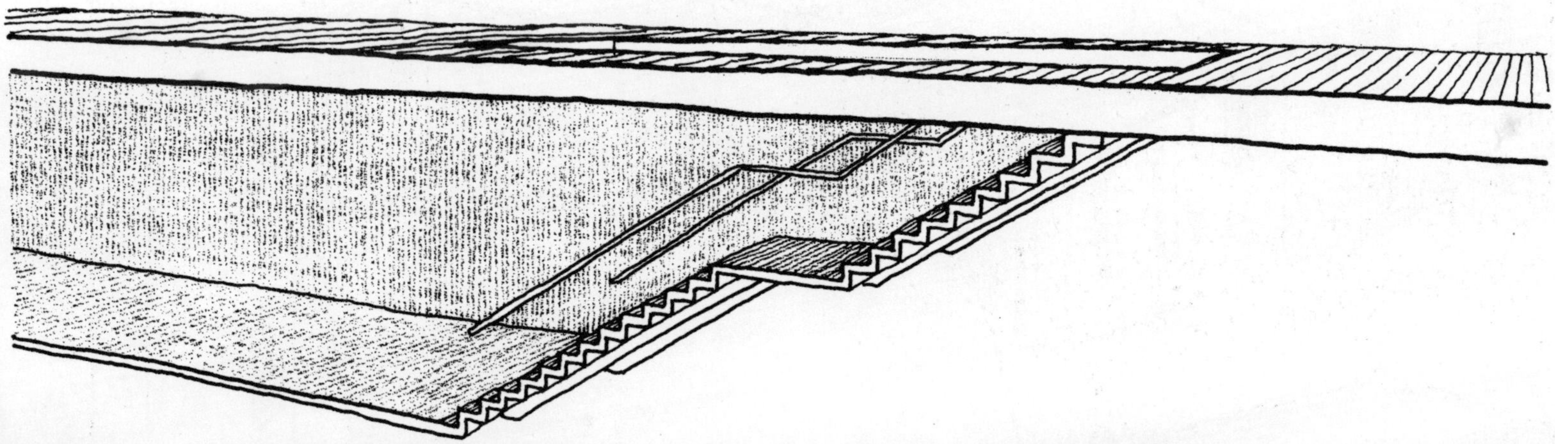

Áreas urbanas de alta densidade

caracterizam muitos vilarejos e cidades mediterrâneas, nas quais as pessoas vivem em edificações muito próximas entre si. Questões como privacidade, barulho, iluminação, vistas e espaço externo são uma grande preocupação para seus habitantes. Preservando a forma básica das edificações, como você alteraria a maneira como elas se relacionam umas com as outras?

Proponha novos tipos de janelas e balcões, ampliações e o uso de materiais diferenciados – quem sabe você poderia até mesmo criar passarelas elevadas entre as casas?

Em seus projetos para uma série de edifícios para o **Sugamo Shinkin Bank**, em Tóquio, a arquiteta francesa Emmanuelle Moureaux desafiou a imagem de um banco como um edifício que é predominantemente formal e sério. Seu uso inteligente da geometria, da volumetria e da cor, bem como sua manipulação das aberturas de janelas, conferiu nova liberdade para um tipo de edificação tradicionalmente conhecido pela sobriedade de sua aparência.

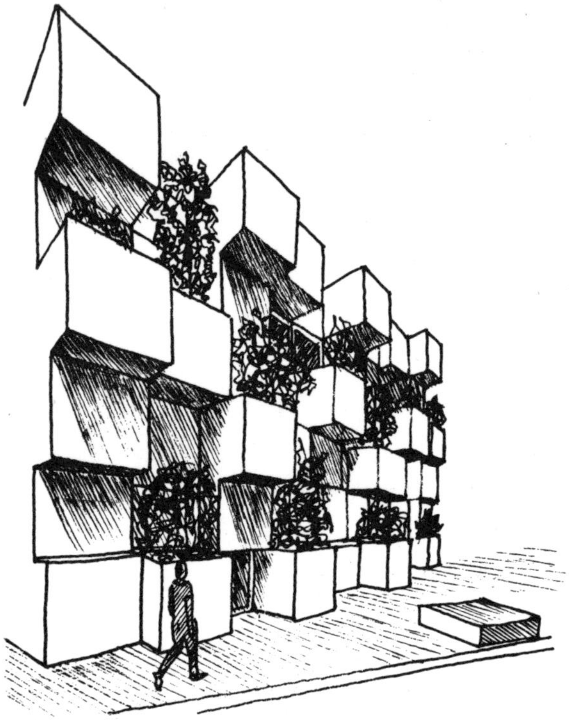

Sugamo Shinkin Bank, agência em Nakaaoki, Tóquio, 2014.

Sugamo Shinkin Bank, agência em Shimura, Tóquio, 2013.

Sugamo Shinkin Bank, agência em Tokiwadai, Tóquio, 2010.

Esboce ideias para outras instituições que estejam precisando de uma releitura propícia ao século XXI. Você poderia começar com uma instituição de sua cidade ou região.

Em 1922, o arquiteto norte-americano Hugh Ferriss fez uma série de desenhos detalhando

"o princípio dos recuos sucessivos".

Esses desenhos demonstravam como os arranha-céus das metrópoles norte-americanas poderiam ser modelados de modo a permitir a passagem de luz em seu entorno. O princípio dos recuos sucessivos ou escalonamento serviu de base para a legislação de zoneamento urbano adotada a partir de 1916, e Ferriss ilustrou como poderia ser a aparência dos prédios altos com base nessa ideia.

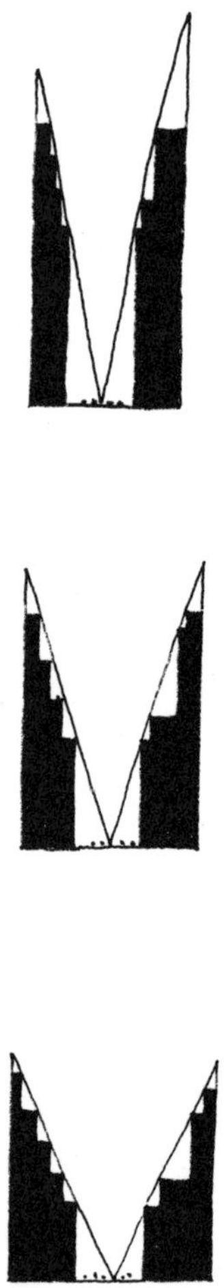

Utilizando este volume parcialmente modelado como ponto de partida, crie seu próprio arranha--céu usando o princípio dos recuos sucessivos.

Intitulado "Estrutura Muito Grande" (EMG), este projeto para uma **cidade nômade** é uma concepção do arquiteto espanhol Manuel Domínguez. De modo semelhante à "Cidade Andante", de Ron Herron (Archigram), a EMG se move por terras desertas sobre gigantescos tratores de lagartas. Inclua sua própria cidade neste desenho parcialmente completo.

Leve em conta o tipo de edificações que seria necessário para permitir a vida em ambientes inóspitos.

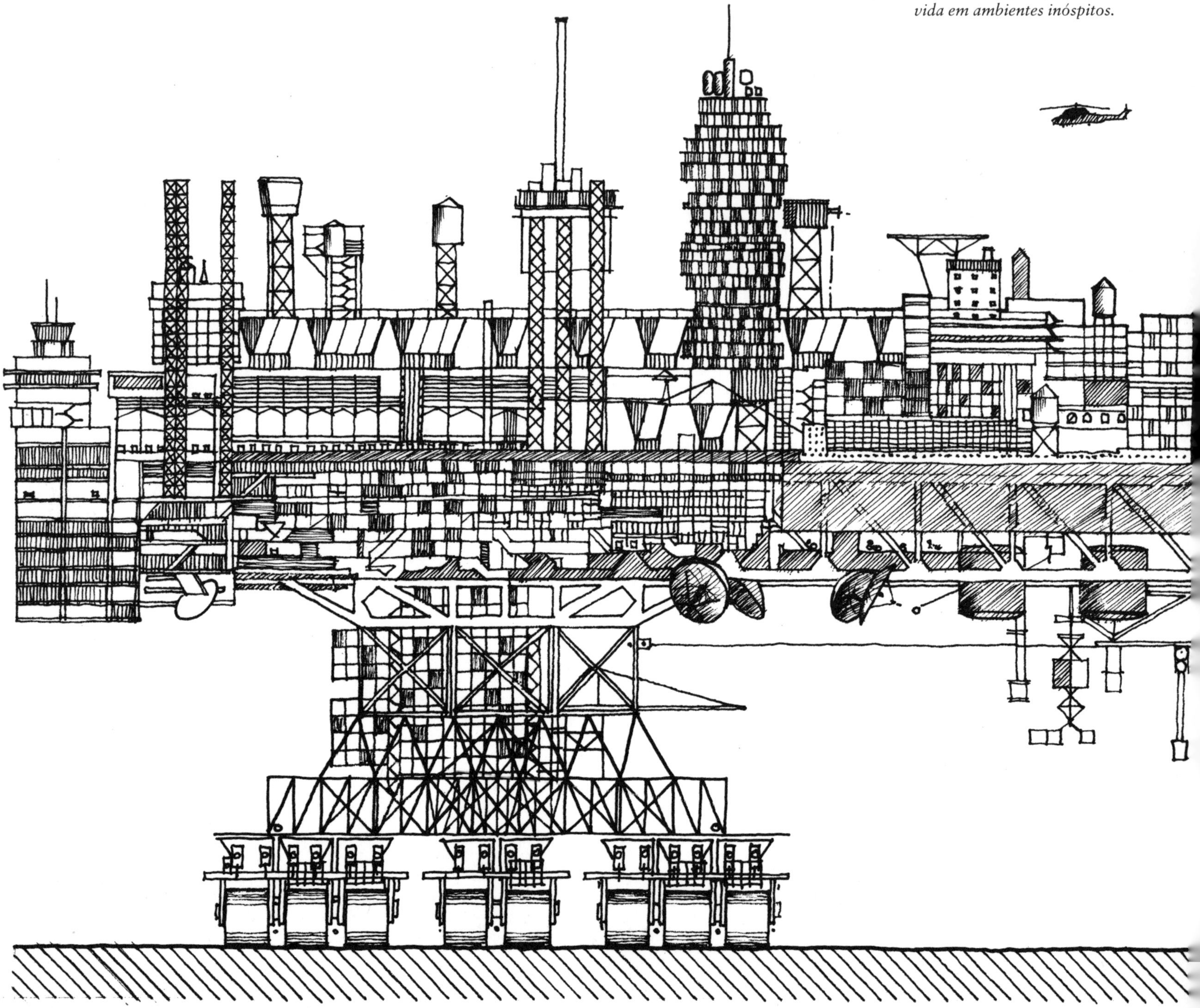

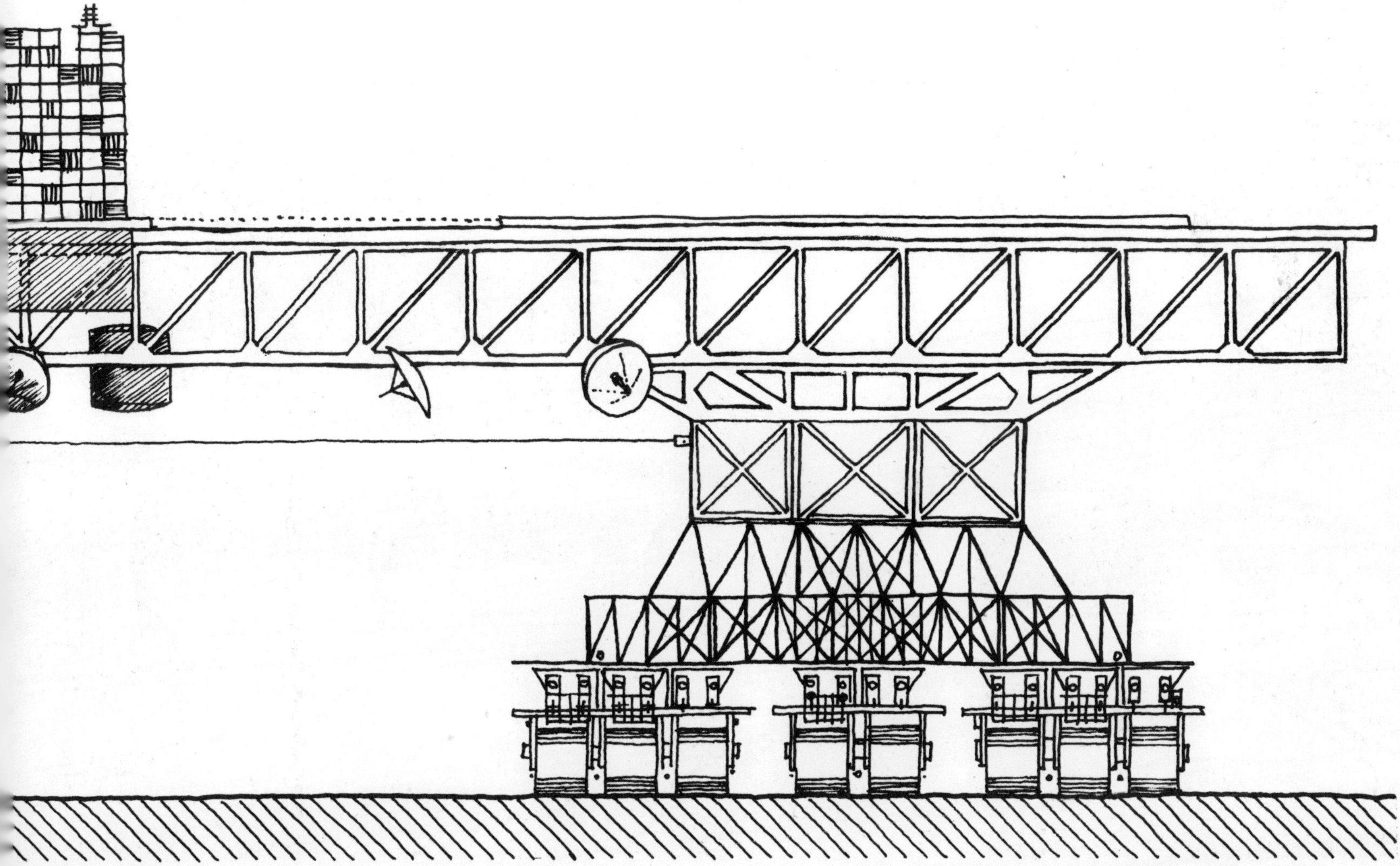

Os **edifícios de aeroportos** são, com frequência, a primeira e a última lembrança que temos de uma cidade quando visitamos um país estrangeiro. O terminal da TWA no Aeroporto Internacional JFK, em Nova York, foi projetado por Eero Saarinen and Associates em 1962, inspirado na ideia de uma grande ave pousando ou prestes a alçar voo.

Esboce algumas ideias para um edifício aeroportuário para sua cidade mais próxima. O que o caracteriza? Ele se relaciona com a identidade, a cultura ou a geografia nacional?

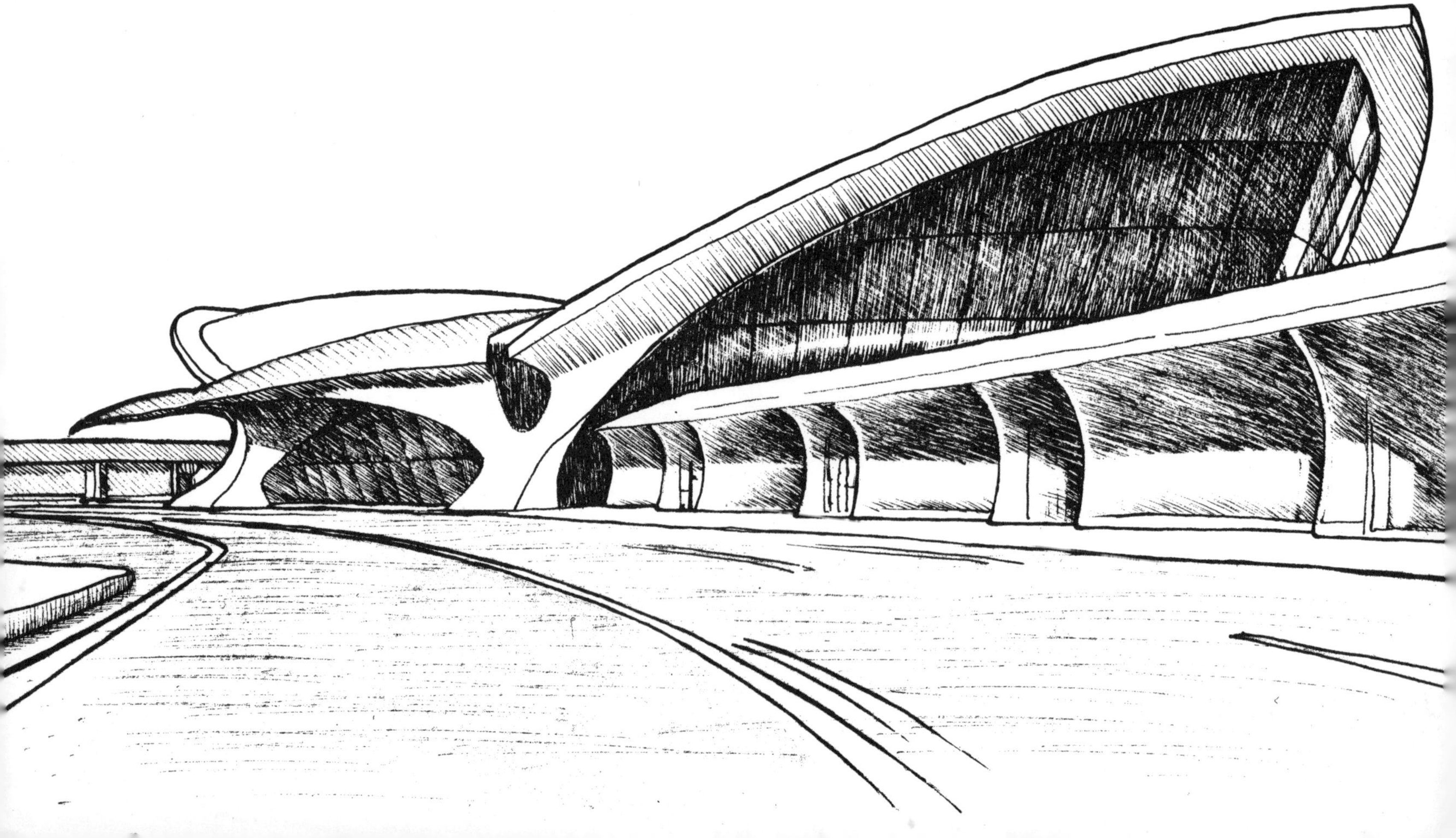

Este **labirinto** é um projeto parcialmente completo para uma cidade labiríntica. Uma das faces da cidade estaria voltada para o oceano, e a outra face, para a floresta. Imagine que você chegou de barco e teve de encontrar o caminho através da cidade para alcançar o seu destino na floresta.

Complete e colora o desenho, acrescentando casas e jardins.

Nos anos 1950 e 1960, nos **postos de gasolina** das autoestradas italianas, os restaurantes Pavesi Autogrill celebravam o luxo de viajar de carro, ao construir ousados prédios em forma de pórtico que atravessavam as estradas. Seus clientes podiam relaxar enquanto desfrutavam de um desfile da última moda automobilística.

Desenhe um prédio em forma de pórtico sobre a rua no mesmo espírito que os exemplos italianos.

Restaurante Pavesi Autogrill, Montepulciano, Itália. Angelo Bianchetti, 1967.

Restaurante Pavesi Autogrill, Fiorenzuola d'Arda, Itália. Angelo Bianchetti, 1959.

BAR GRILL RISTORANTE
BAR GRILL RISTORANTE

Estes **diagramas de tipologia de habitação** foram obtidos em um de meus antigos blocos de desenho e sugerem formas com que podemos organizar arranjos para diferentes tipos de moradia na cidade. Os tipos gerais são edificações com pátio, torres, fitas, blocos irregulares e mansões, em que cada um consiste em uma variação do anterior.

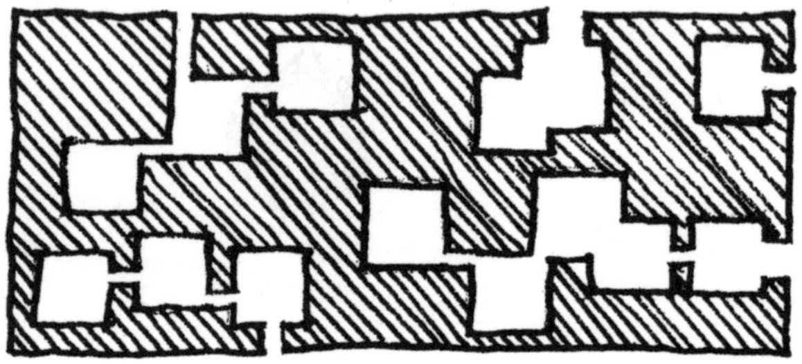

Edificações com pátio interno

Blocos irregulares

Torres

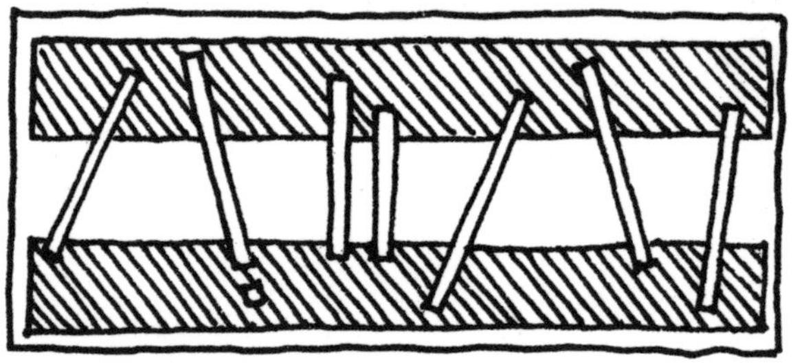

Fita regular de casas ou prédios baixos

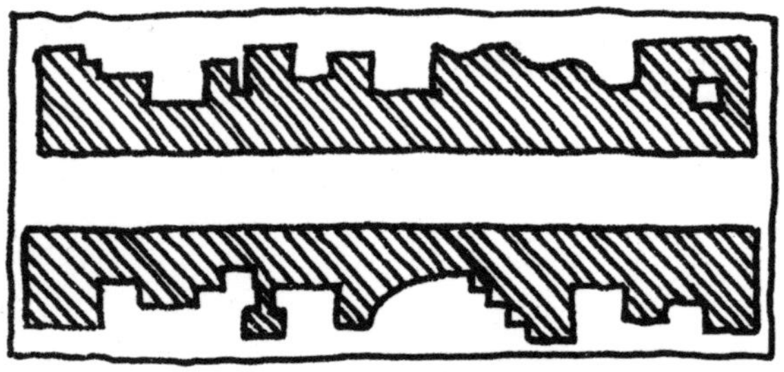

Fita irregular de casas ou prédios baixos

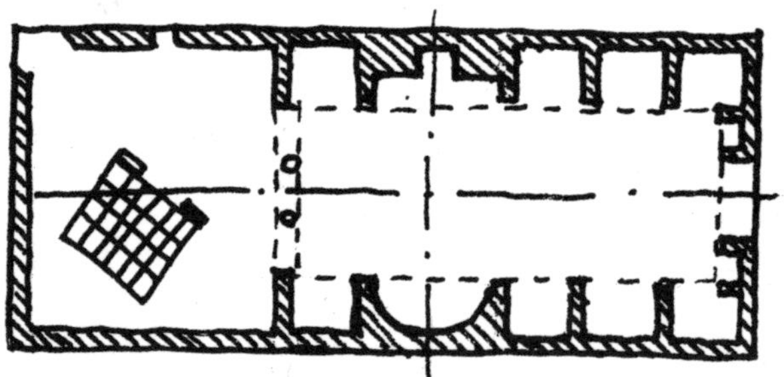

Prédios com pátio interno simétrico

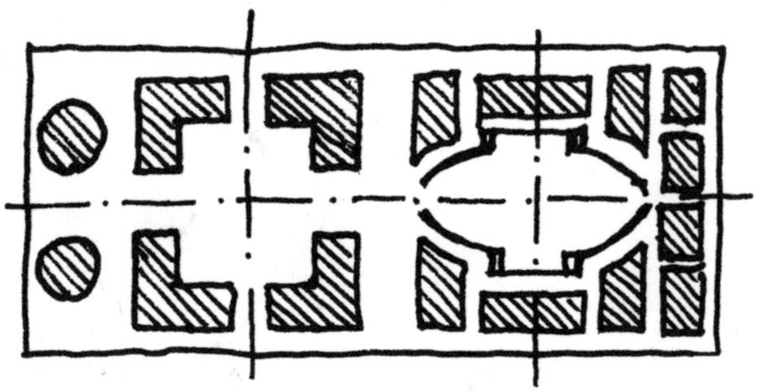

Mansões

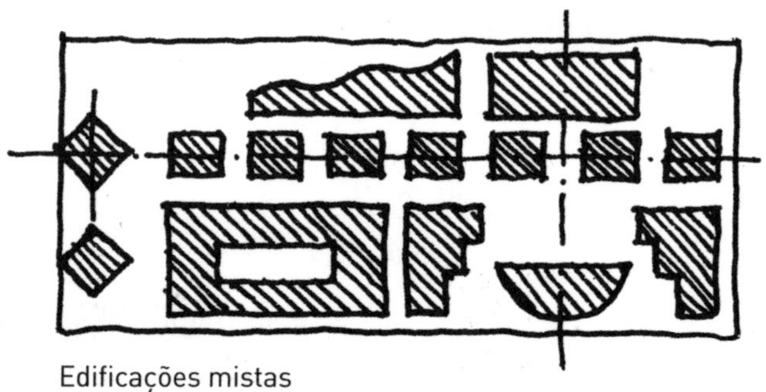

Edificações mistas

Desenhe suas próprias versões, considerando a escala e as proporções, bem como o posicionamento dos espaços e da iluminação em relação às ruas e aos jardins.

Postos de gasolina são um tipo de edificação existente em praticamente qualquer cidade e, apesar disso, não aparece em muitas revistas de arquitetura. Frequentemente vistos apenas como pano de fundo para outras obras de arquitetura, com projetos de ambições funcionalistas, os postos de gasolina eventualmente resultam em prédios bastante expressivos. Os exemplos ilustrados aqui se tornaram marcos da paisagem urbana.

Posto de gasolina "Auto Palace", Muldersweg, Nijmegen, Países Baixos. B.J. Meerman e Johan van der Pijll, 1936.

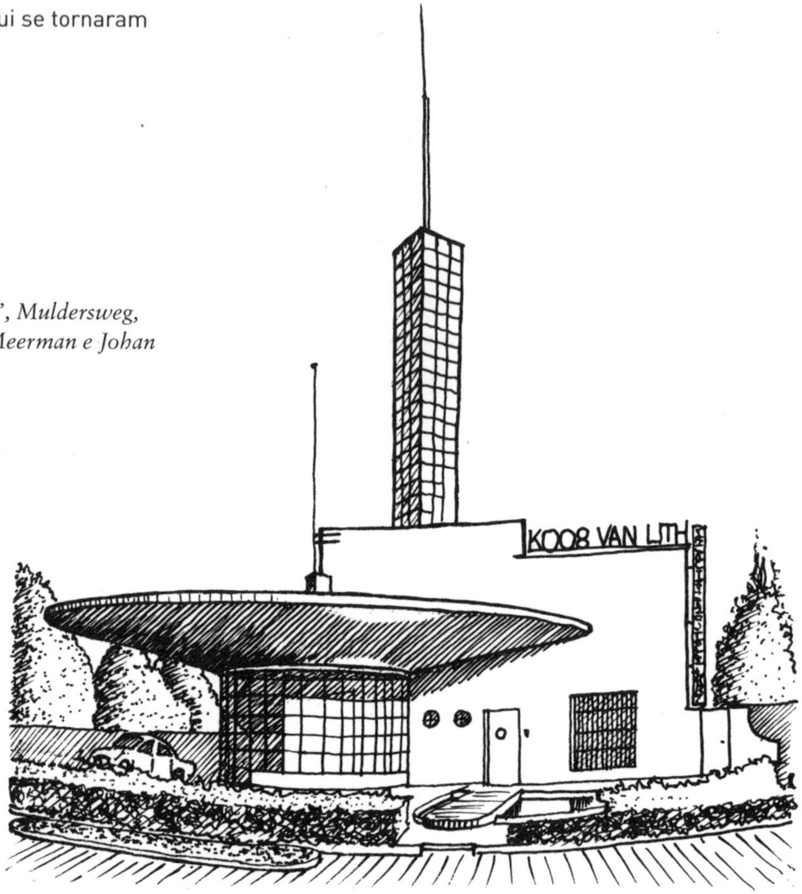

Posto de gasolina Enco, Palm Springs, Califórnia, Estados Unidos. Albert Frey e Robson C. Chambers, 1965.

Esboce algumas ideias para um posto de gasolina que poderia vir a se tornar um marco arquitetônico de sua cidade.

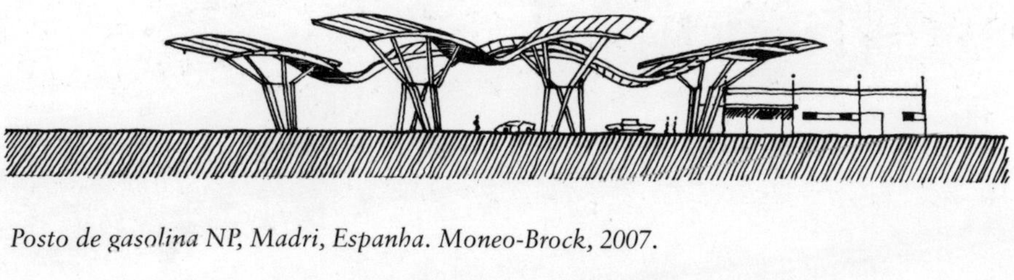

Posto de gasolina NP, Madri, Espanha. Moneo-Brock, 2007.

Em seu ensaio de 1910, "Ornamento e Crime", o arquiteto austríaco **Adolph Loos** defendeu a ideia de que decorações supérfluas em edificações eram como atos criminosos. O design de Loos para a casa Müller foi precursor dos movimentos modernista, funcionalista e, mais recentemente, minimalista do século XX, os quais exerceram profunda influência sobre a aparência de nossas cidades. Nos últimos anos, contudo, as técnicas de fabricação digitais resultaram novamente em edificações de caráter mais decorativo. Como essa mudança afetaria a aparência da casa Müller?

Cometa o "crime" de fazer sua própria decoração da casa Müller.

A **Torre Dinâmica**, também conhecida como torre Da Vinci, é uma proposta de arranha-céu móvel de uso misto desenvolvida pelo arquiteto David Fisher, para Dubai. Cada andar gira de modo independente ao redor de uma estrutura central fixa, e a proposta é que todo o prédio será movido por turbinas eólicas e painéis solares, com a maior parte de seus componentes sendo pré-fabricada em indústrias.

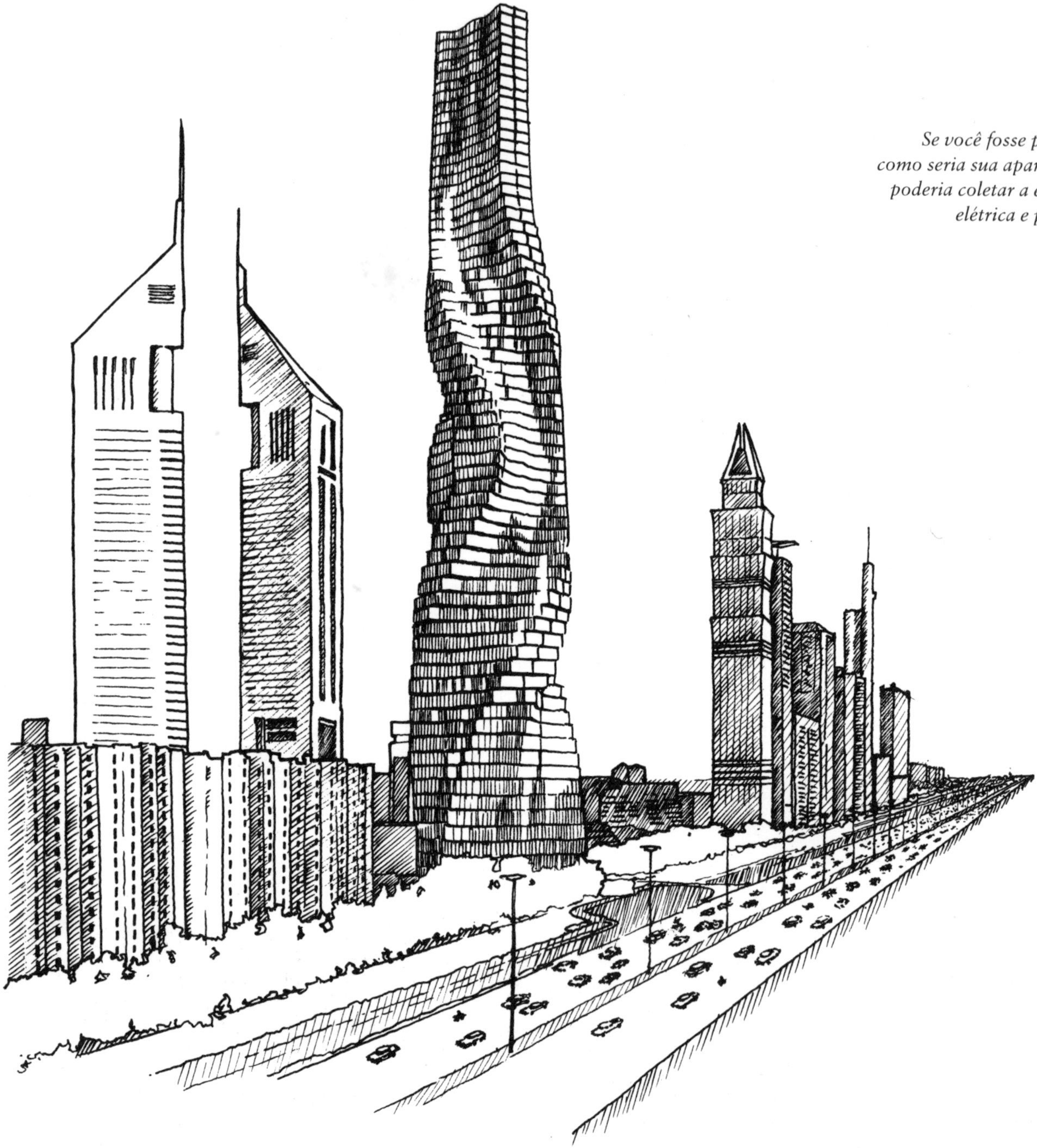

Se você fosse projetar um arranha-céu cinético, como seria sua aparência? Leve em conta como você poderia coletar a energia solar para convertê-la em elétrica e permitir o movimento do prédio.

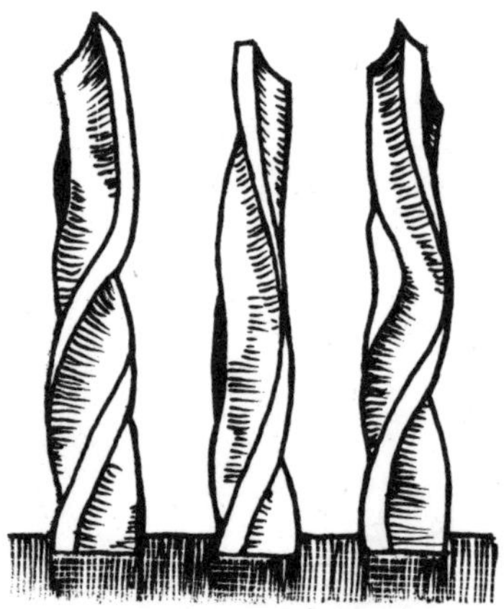

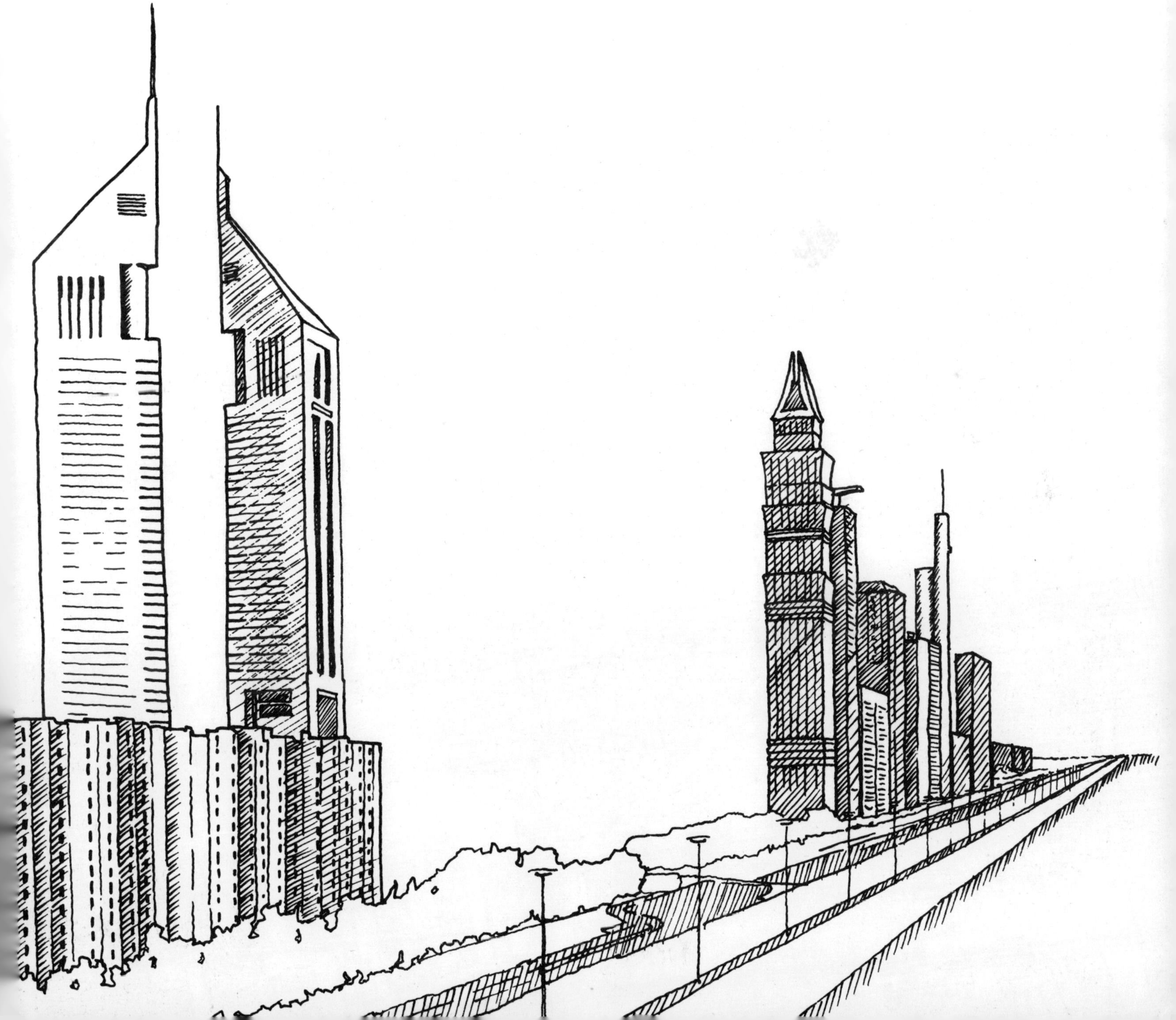

A **planta de Nolli** de Roma foi pesquisada e desenhada entre 1736 e 1748 pelo arquiteto italiano Giambattista Nolli (às vezes também chamado de Giovanni Battista). Seus mapas são relevantes porque descrevem os interiores dos edifícios públicos como se fossem espaços exteriores como ruas e quadras – ou, em outras palavras, como se fossem espaços públicos. Na página da direita, apaguei uma parte do mapa para que você a complete.

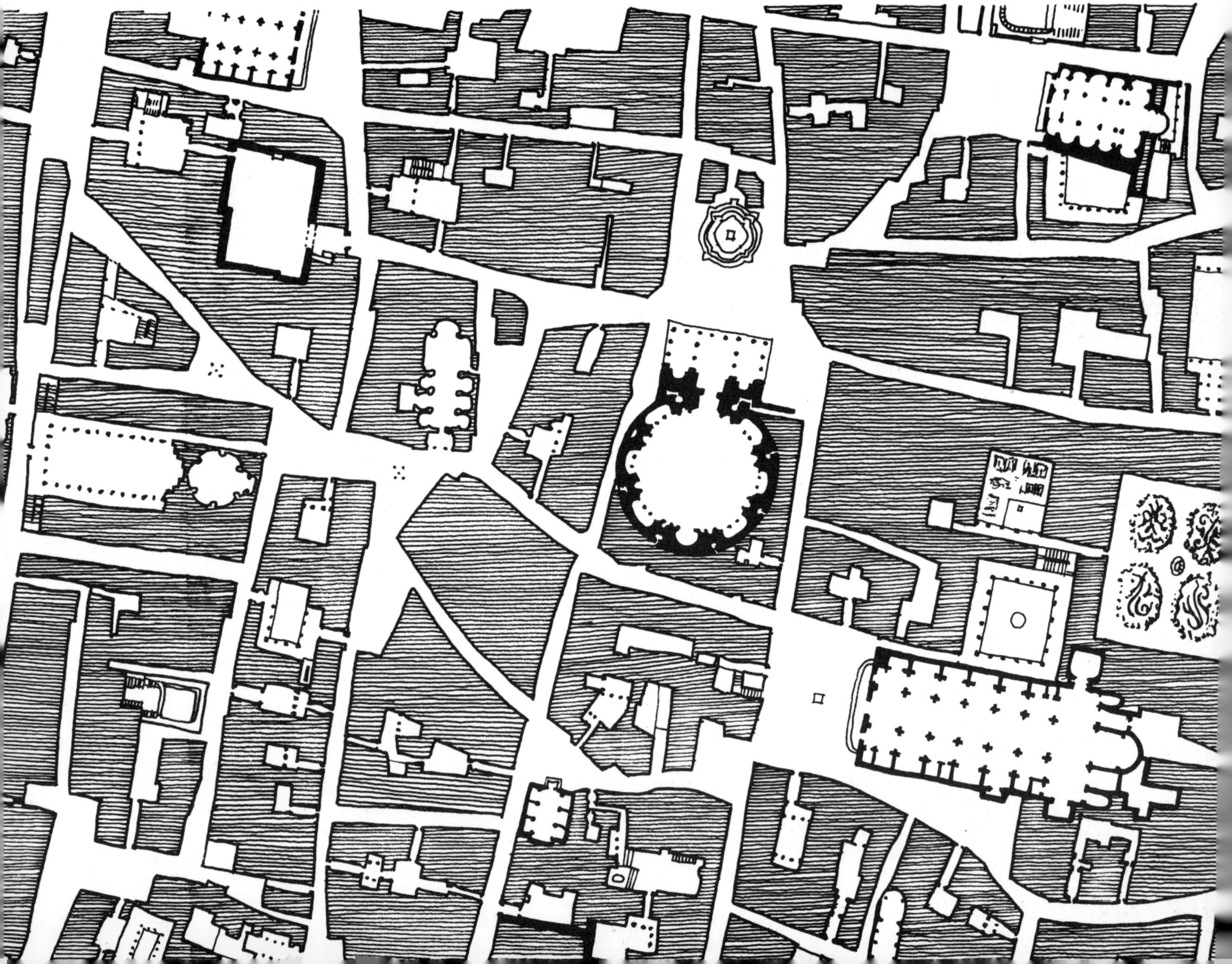

Desenhe pátios internos, praças, ruas, galerias, bibliotecas, igrejas, mesquitas, parques e jardins.

Aqui podemos ver exemplos da **interação de artistas com a arquitetura**.

O primeiro artista anexou a um museu uma bolha inflável que continha uma palmeira e uma rede de dormir; o segundo cortou um disco com oito metros de diâmetro na fachada de um prédio e conectou-o a um motor, girando essa seção do prédio durante um ciclo de pouco mais de dois minutos, de modo que, na metade desse tempo, a face interna da fachada ficava para fora e vice-versa.

Proponha uma instalação que interaja tanto com o exterior como com o interior deste prédio. Ela envolveria fazer um corte? Colocar uma máscara? Descascar o prédio? Fazer uma sobreposição?

"Klimakapsel Oase N° 7" (Cápsula Climática, Oásis N° 7), Museu das Artes e Ofícios, Hamburgo, Alemanha. Haus-Rucker-Co, 1972

"Colocando o lugar de cabeça para baixo", Bienal de Liverpool. Richard Wilson, 2007.

As **proporções de uma rua** — ou seja, a altura média dos prédios comparada com sua largura — determinarão quanto da luz diurna iluminará o espaço. Isso sempre afetará o espírito do lugar. Como você pode ver nestes cortes esquemáticos de rua, as proporções são determinadas pela relação entre a altura e a largura e são medidas em quadrados imaginários (razões como 1:1, 1:2, 1:3 ou mesmo 1:1,5).

1:2 ou 1:3

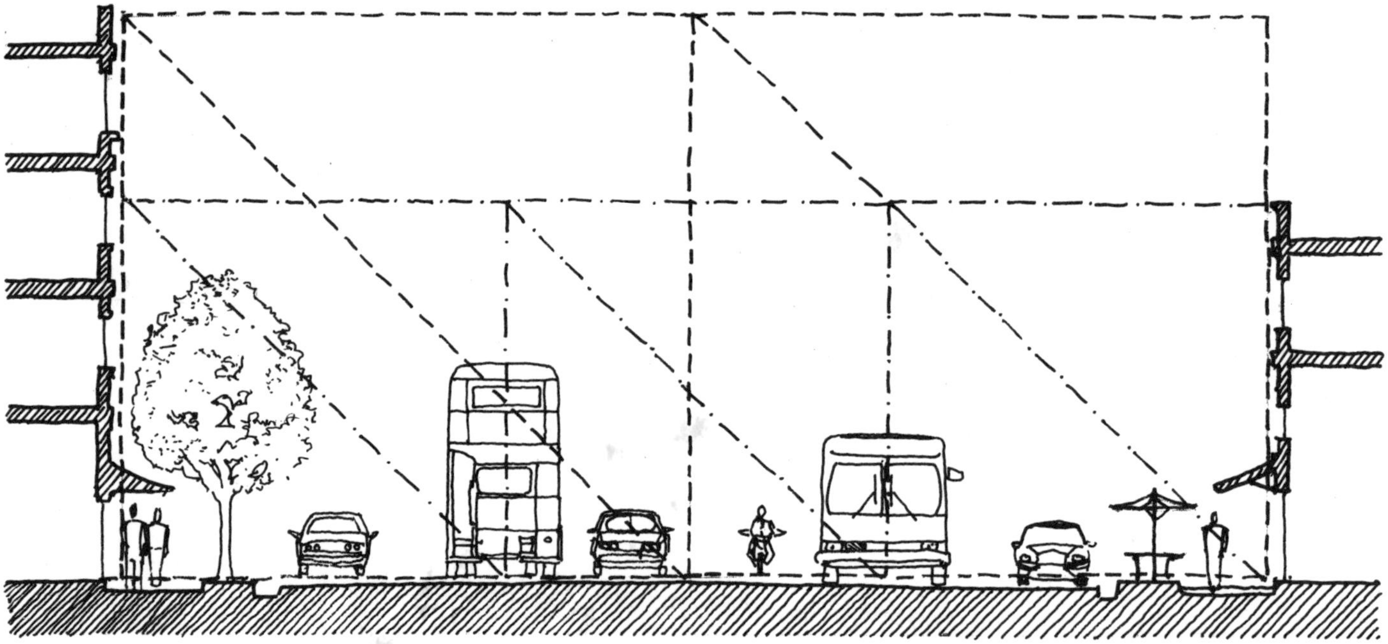

1:1,5

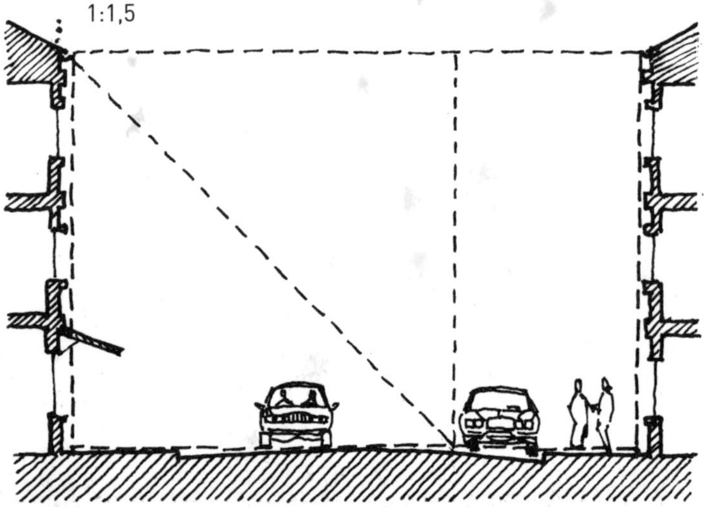

1:1

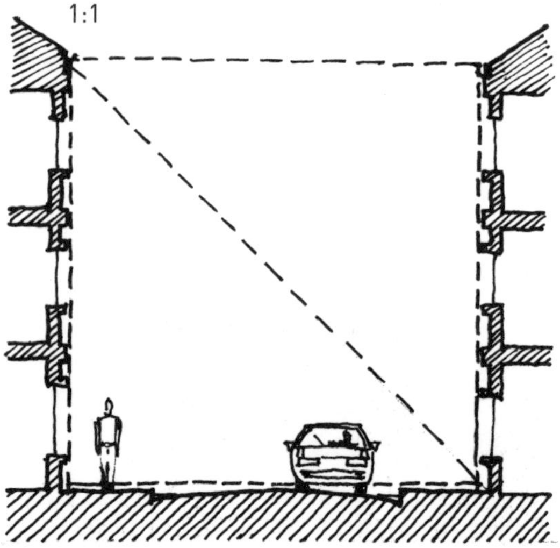

Faça um croqui de sua rua e tente estabelecer as proporções.

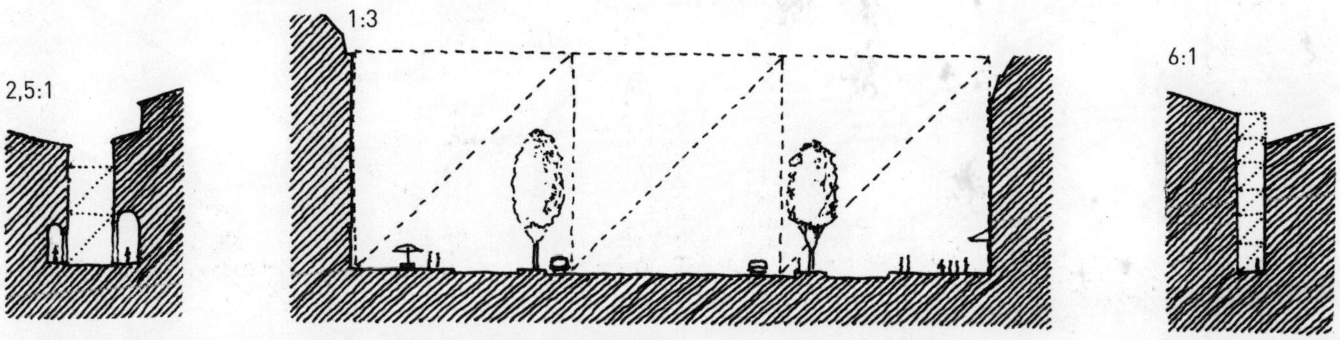

O centro de Londres tem muitas **praças públicas bonitas**, mas seus jardins centrais frequentemente são de uso privativo. Este exemplo é da praça Bedford, no bairro de Bloomsbury, Londres.

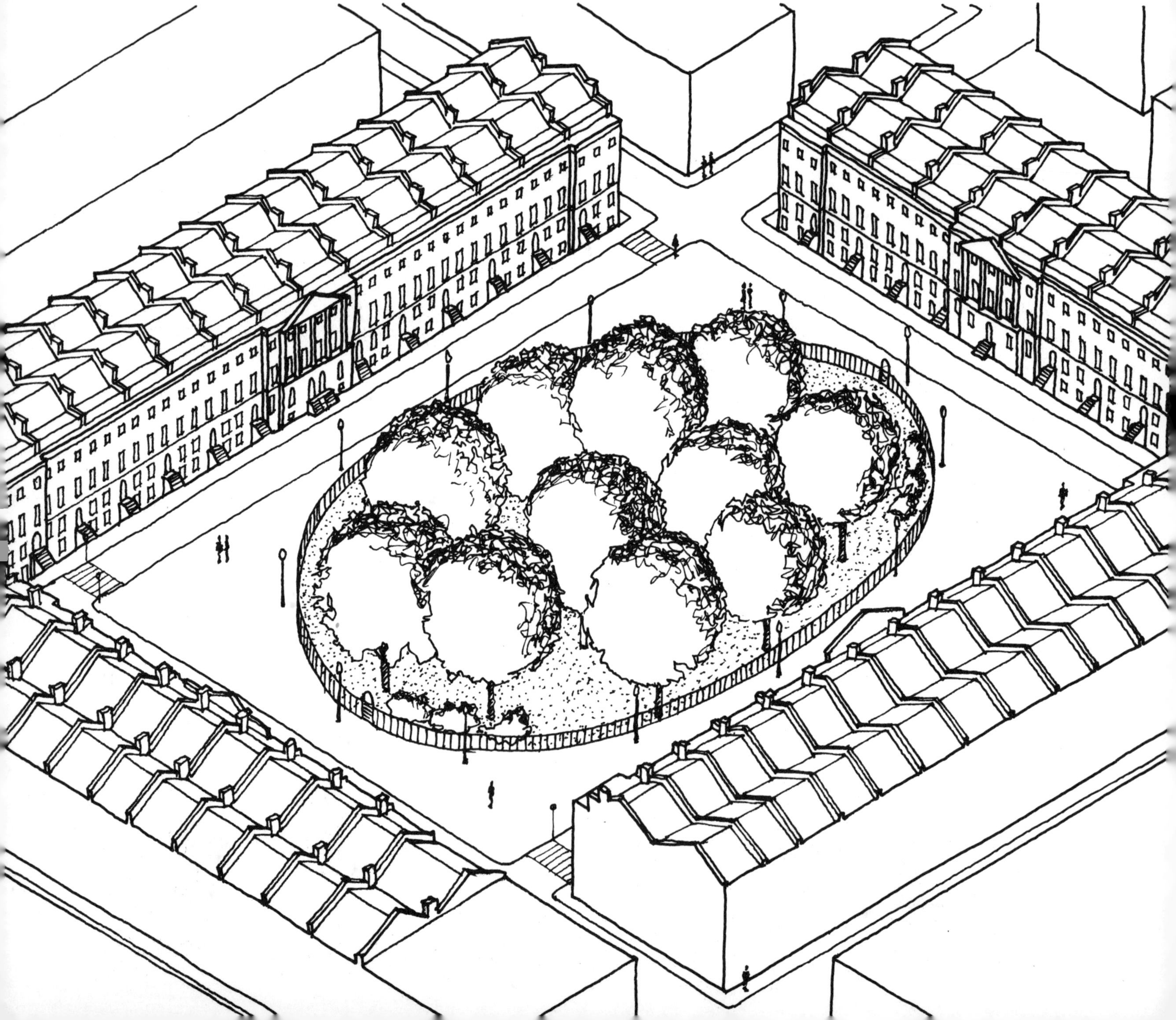

Imagine que o jardim central se tornasse público. Você manteria o jardim ou proporia um projeto de paisagismo diferente? Quem seriam seus usuários – trabalhadores de escritórios, pessoas fazendo compras, crianças brincando?

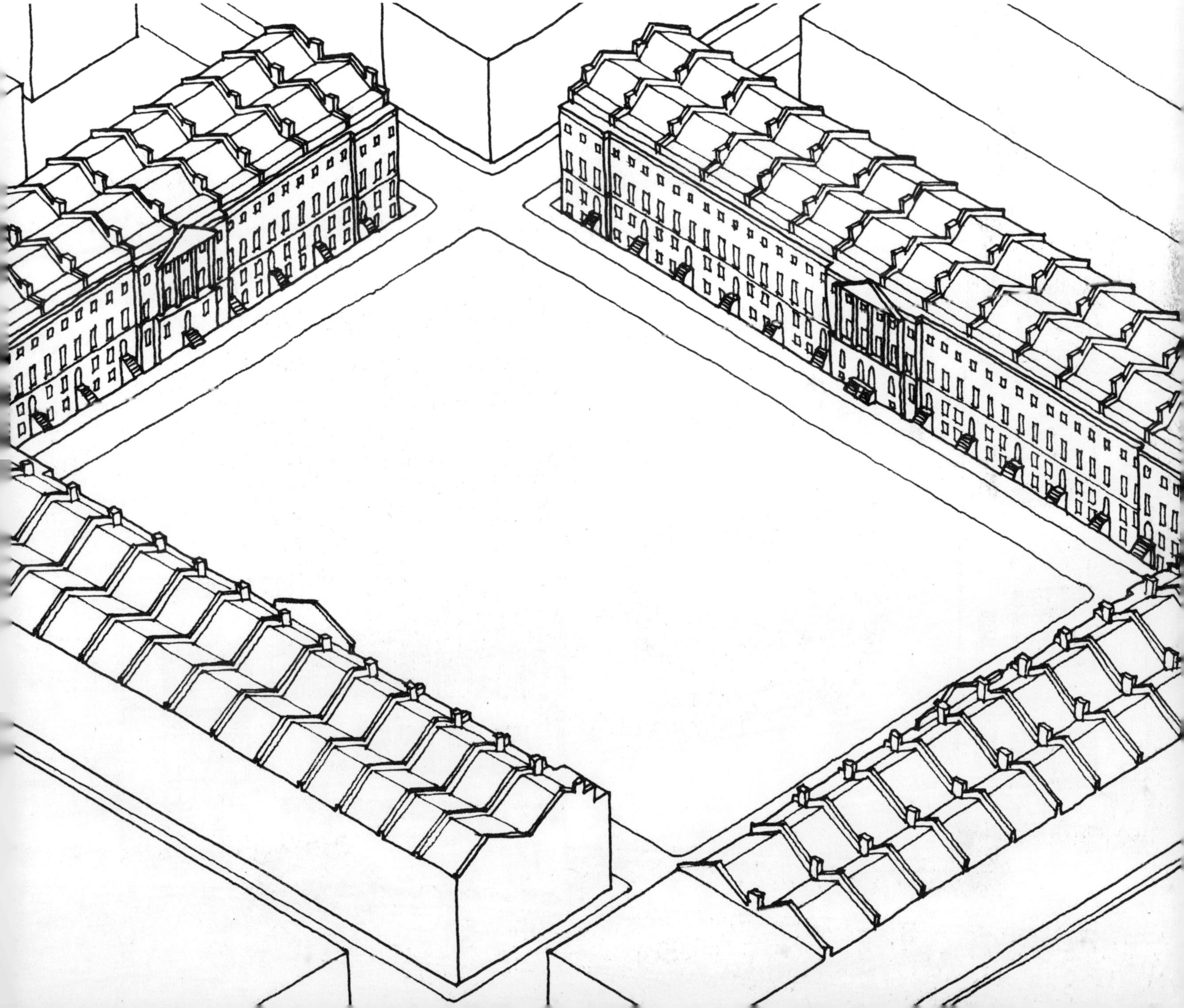

Cruzando o centro da **cidade medieval de Girona**, no Norte da Espanha, está o rio Onya, ladeado por casas e edifícios de apartamentos típicos de uma cidade mediterrânea. As fachadas são pintadas com ricos matizes de terracota, de acordo com uma paleta criada por Enric Ansesa, James J. Faixó e os arquitetos Josep Fuses e Joan Maria Viader.

Proponha novas fachadas para os prédios em branco e sugira sua própria paleta de cores para o conjunto arquitetônico.

Estes quatro exemplos de **portais** em cidades diferentes são extremamente simbólicos, pois não apenas são marcos urbanos como também se relacionam com eventos históricos em particular, invocando ideais como paz, liberdade, proteção e celebração.

Arco Portal, Saint Louis, Estados Unidos. Eero Saarinen, 1965.

Portão de Brandenburgo, Berlim. Carl Gotthard Langhans, 1791.

Portão da Índia, Délhi. Edwin Lutyens, 1931.

Templo Heian-jingu, Portão Torii, Kyoto, Japão. Ito Chuta, 1895.

Desenhe seu próprio portal de cidade. Talvez ele se relacione a um evento histórico particular, talvez seja projetado com o uso de formas e materiais modernos.

"O que é a cidade, senão as pessoas?", perguntou William Shakespeare, sugerindo que o caráter de um lugar é determinado por seus cidadãos. Estas silhuetas de moradores urbanos representam algumas pessoas que tipicamente usam espaços e equipamentos públicos. Ao pé da página estão os símbolos que representam algumas de suas necessidades cotidianas.

Moradores urbanos: esqueitista, idosa, família de jovens, músico de rua.

Legenda: (fileira superior) natureza, superfícies pavimentadas, abrigo, duchas, água potável, banheiros, mesas, área de descanso, espaço para dormir. (Fileira inferior) espaço superpovoado, espaço subpovoado, espaço barulhento, espaço silencioso, área de ciclistas.

Complete, na página anterior, os quadros em branco com símbolos que você acha representativos das necessidades das pessoas e, depois, acrescente alguns moradores urbanos no espaço livre desta página. Sugira, também, alguns ícones funcionais diferentes.

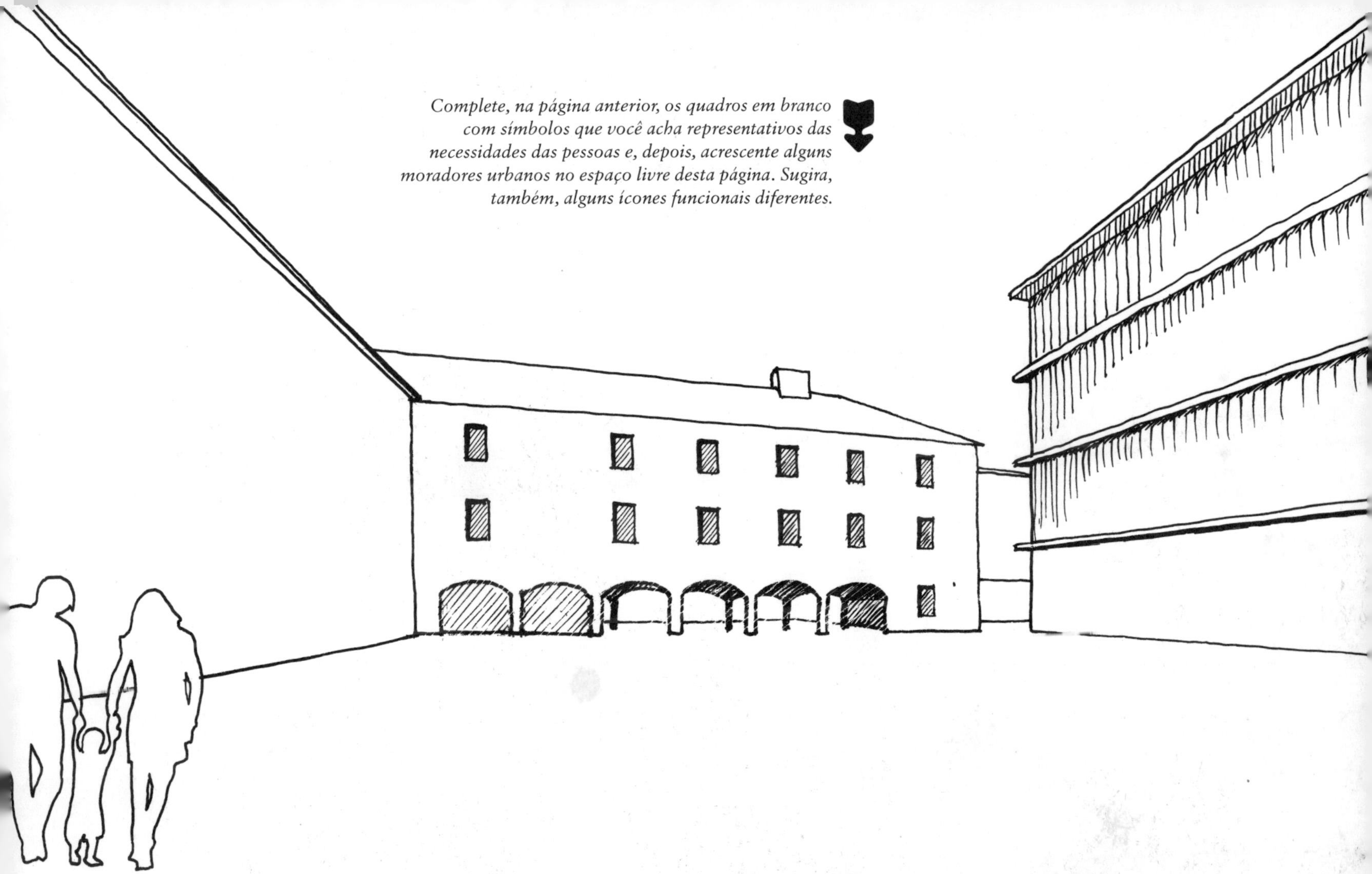

Muitas cidades têm um parque temático e um parque de diversão permanentes. A **Coney Island**, no Brooklyn, é uma ilha que se desenvolveu como uma área de lazer no final do século XIX e logo acomodou um dos parques temáticos mais populares dos Estados Unidos. Uma de suas principais atrações era o "Elephantine Colossus", um peculiar hotel com 34 apartamentos construído em 1885. Tendo 46 metros de altura, o Colossus era tão grande que, durante certo tempo, era a primeira coisa que os visitantes avistavam ao chegar em Nova York. Infelizmente, o hotel foi destruído por um incêndio em 1896, e hoje apenas restam fotografias e desenhos desse prédio incrível.

Usando estes contornos que mostram um corte e uma planta baixa do hotel, imagine como seria seu interior se ele fosse reconstruído. Onde seriam a entrada e as escadas? Quantos apartamentos você faria, e de que tipo?

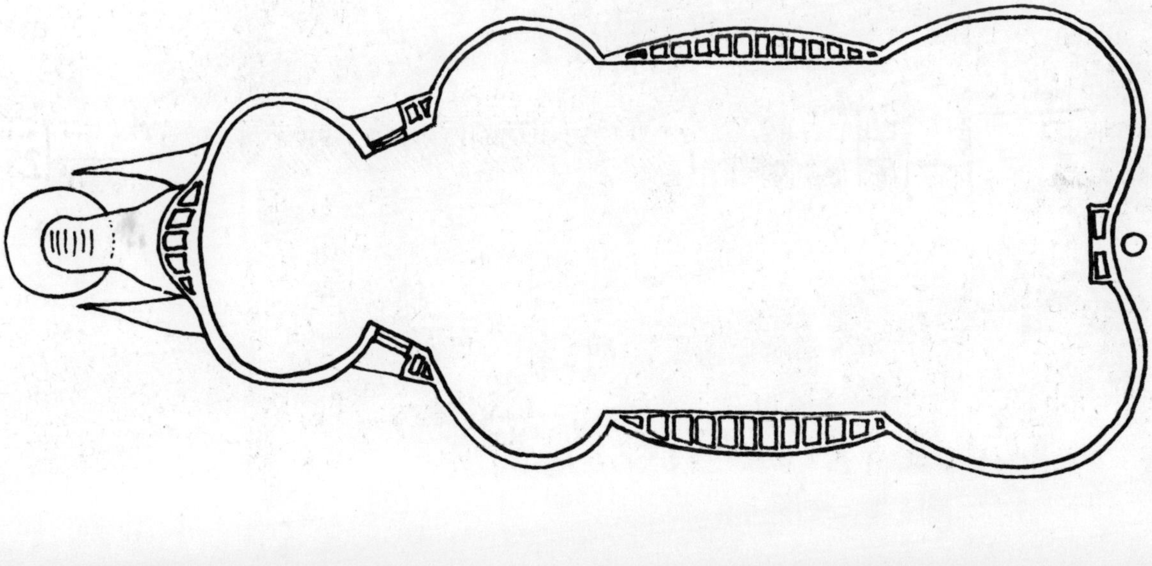

Em 1922, o famoso arquiteto suíço Le Corbusier propôs uma **"Cidade Contemporânea"** para 3 milhões de habitantes como resposta ao crescente problema dos cortiços de Paris. Seu "Plano Voisin" (1925) imaginou a remoção de mais de cinco quilômetros quadrados do centro parisiense para acomodar um novo bairro habitacional implantado dentro de um grande parque.

O que você proporia para este vazio urbano de Paris?

Desenhos que mostram a volumetria e a planta do bairro profissional proposto e parte do bairro para habitação, cultura e administração pública que se estenderiam ao longo do rio Sena.

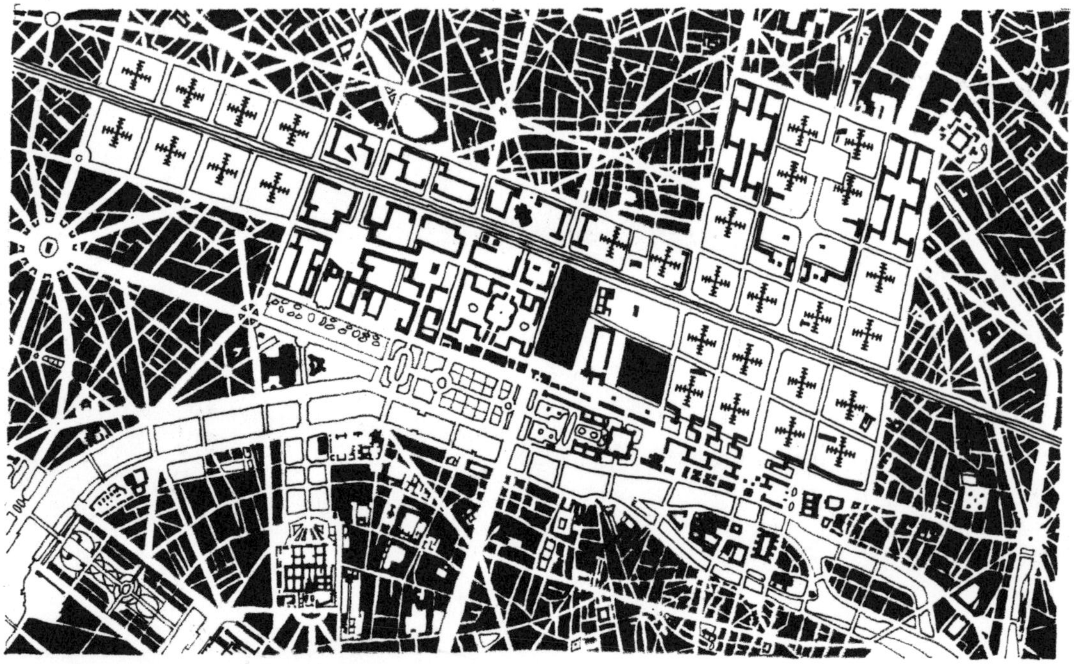

Estes dois prédios são exemplos de **museus** dedicados cada um a apenas um artista. Dalí disse do Teatro-Museu Salvador Dalí: "quero que meu museu seja um único bloco, um labirinto, um grande objeto surrealista... as pessoas que vierem visitá-lo partirão com a sensação de terem tido um sonho teatral". O outro exemplo é dedicado ao pintor suíço Paul Klee e, embora tenha forma abstrata, relaciona-se com a famosa citação do artista de que "desenhar é levar uma linha para passear".

Centro Paul Klee, Berna, Suíça. Renzo Piano, 2005.

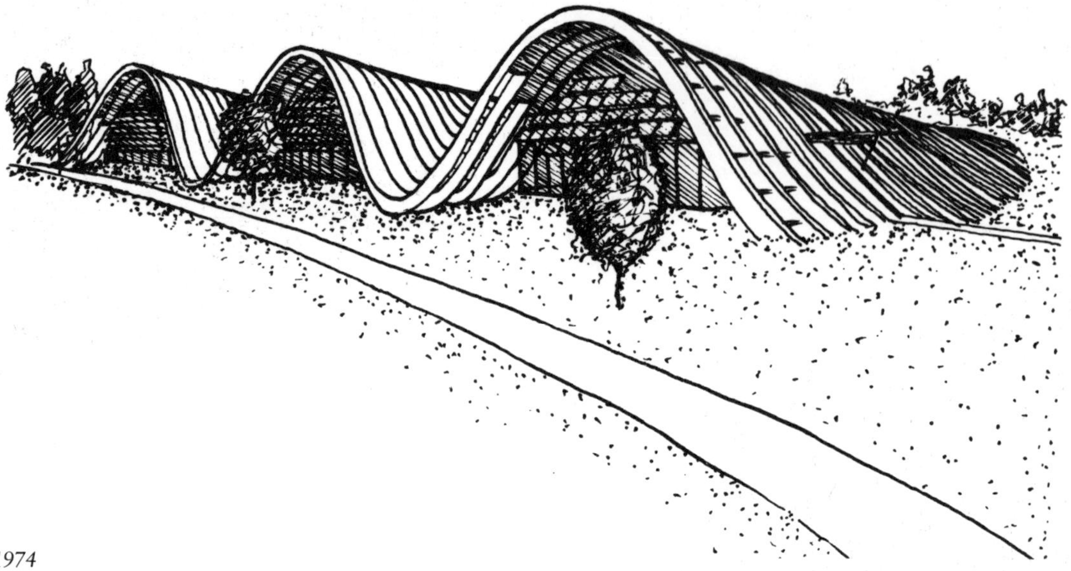

Teatro-Museu Salvador Dalí, Figueres, Espanha. Joaquim de Ros i Ramis e Alexandre Bonaterra, 1974

Pense em seu artista favorito e faça um croqui de como seria um museu dedicado à sua obra. Pense na cor, forma e materiais, bem como em qual era a paixão do artista.

Muitas linhas do horizonte de uma cidade são caracterizadas pelas **coberturas e torres** de seus edifícios históricos e cívicos mais importantes. A catedral de Vasily, o Abençoado, mais conhecida como catedral de São Basílico, na Praça Vermelha de Moscou, se tornou tanto um ponto focal como um símbolo do rico patrimônio arquitetônico da Rússia.

Igreja paroquial de Chesterfield (apelidada de Flecha Torcida), Derbyshire, Inglaterra, século XIV.

Catedral de Vasily, o Abençoado, Moscou, Rússia. Barma e Postnik Yakovlev, 1561.

Faça um croqui mostrando suas próprias ideias de uma flecha, um minarete ou torre cívica. Ela tem alguma relação cultural com o local onde você vive?

Bolsa de Valores de Copenhague, Børsen, Dinamarca. Lorentz e Hans van Steenwinckel, o Jovem, 1640.

Nesta página, temos vários **perfis de ruas** típicos. Um perfil de rua mostra como os prédios do entorno imediato interagem uns com os outros e determinam o caráter da rua. Em meus exemplos, você pode ver como as fachadas escalonadas, os balcões, as arcadas, as linhas de cobertura e os pavimentos abaixo do nível viário afetam as características distintivas da rua.

Desenhe seu próprio perfil viário no espaço fornecido.

Quando a Segunda Guerra Mundial terminou, **novos conjuntos habitacionais** eram urgentes em muitas cidades europeias, para substituir os lares danificados pelo conflito. Na Grã-Bretanha pós-guerra, arquitetos como Peter e Alison Smithson e Ernö Goldfinger dedicaram grande parte de sua prática profissional ao projeto de escolas e moradias populares. Seus prédios eram radicalmente inovadores e passaram a ser chamados de "neobrutalistas" em virtude de sua aparência rústica e do uso de concreto aparente.

Faça croquis mostrando suas próprias ideias para um conjunto habitacional popular com base nestas linhas de contorno da torre Trellick. Você incluiria espaços verdes? E tecnologias para a sustentabilidade?

Edifício Robin Hood Gardens (de Peter e Alison Smithson) e (na página ao lado) as linhas de contorno da torre Trellick, um prédio de 31 pavimentos projetado por Goldfinger, ambos construídos em Londres no início da década de 1970.

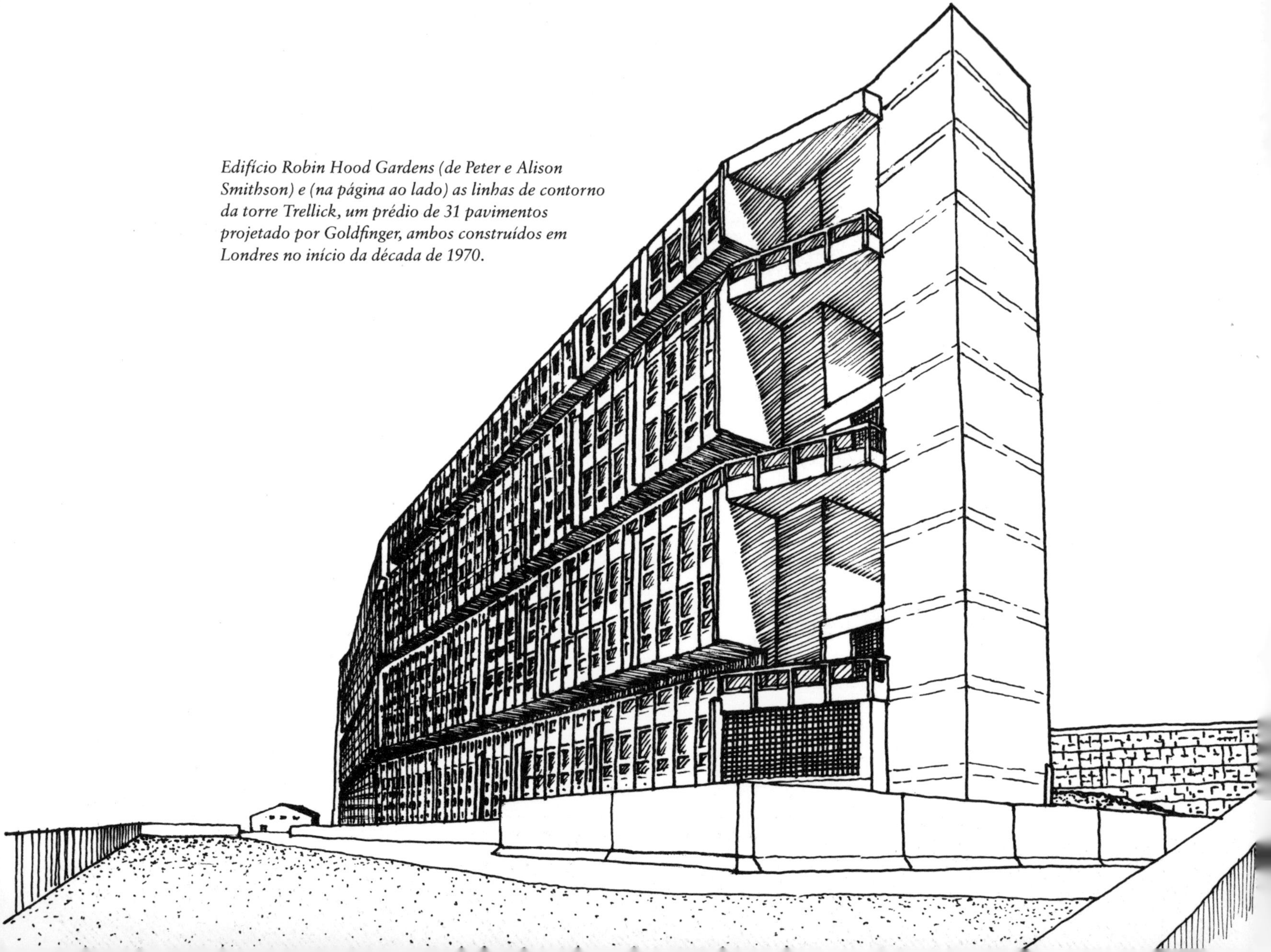

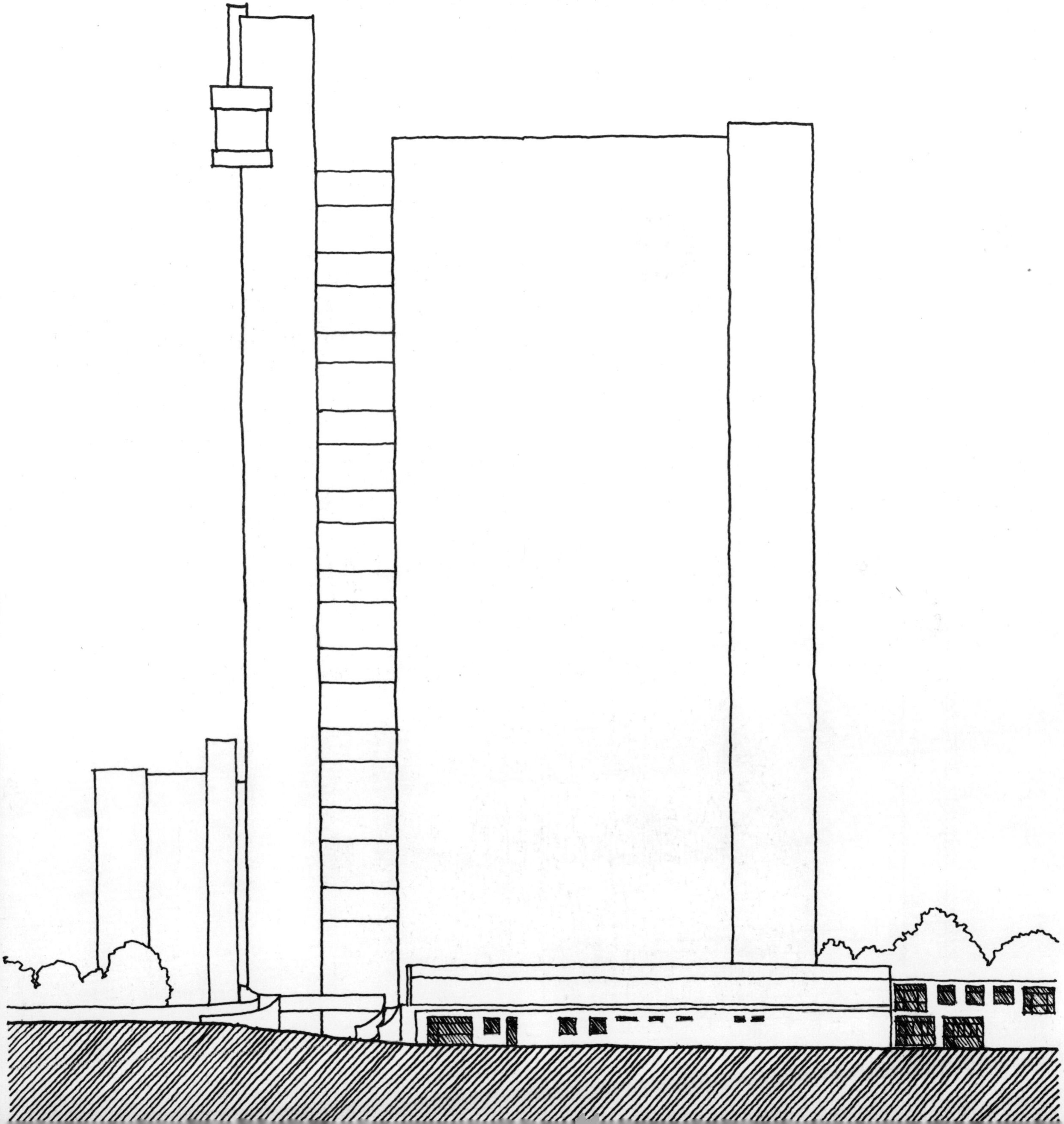

Os projetos destes dois **prédios de parlamentos** empregam formas geométricas simples (círculos, quadrados, triângulos) na organização de suas plantas baixas. Em ambas as edificações, o círculo foi utilizado no espaço "democrático" de assembleia, onde os políticos debateriam as políticas futuras de suas nações, com uma diversidade de espaços administrativos ao redor.

Edifício da Assembleia Nacional, Dhaka, Bangladesh. Louis Kahn, 1982.

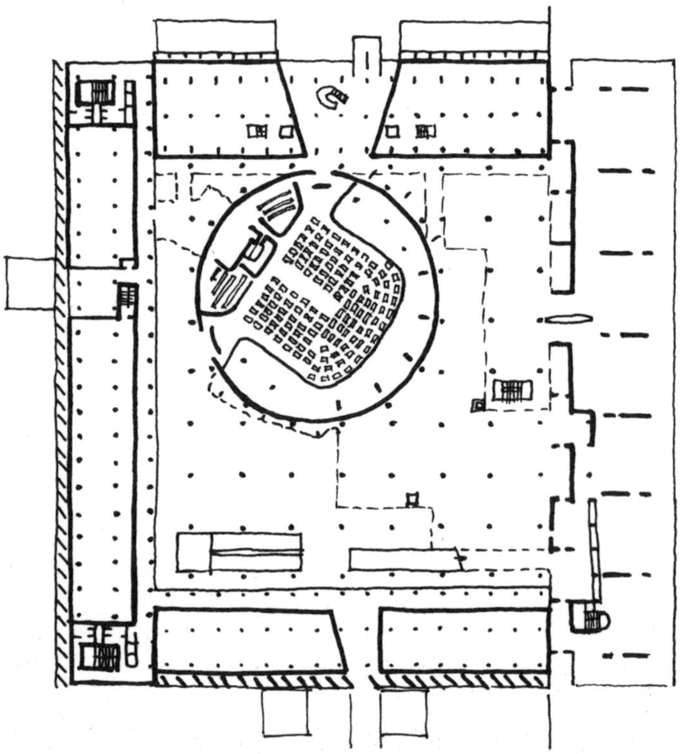

Palácio da Assembleia, Chandigarh, Índia. Le Corbusier, 1955.

Se você fosse projetar um novo prédio para a sede do parlamento usando as figuras geométricas abaixo, como organizaria os espaços entre si? Quais seriam as principais áreas de reunião, e como você promoveria a democracia?

Esta praça da cidade de Telc, República Tcheca, é famosa por suas **casas de mercadores** renascentistas e barrocas do século XVI. Observe que todas as moradias compartilham certas características — empenas altas, alturas semelhantes, arcadas no pavimento térreo e padrões de fenestração relativamente simétricos — e, ainda assim, se mantêm distintas e únicas.

No espaço disponível, projete e esboce duas fachadas, complementando os prédios existentes. Tente incluir alguns elementos dos prédios originais.

"Bulevar da história da arquitetura" é um desenho de Hans Dieter Schaal da década de 1970 no qual o artista construiu uma imagem de uma rua em planta baixa mas fora de escala, justapondo algumas das edificações mais significativas do mundo em uma rota linear.

Acrescentei algumas de minhas plantas baixas favoritas. Por que você não faz o mesmo e, então, cria abaixo seu próprio bulevar da história da arquitetura?

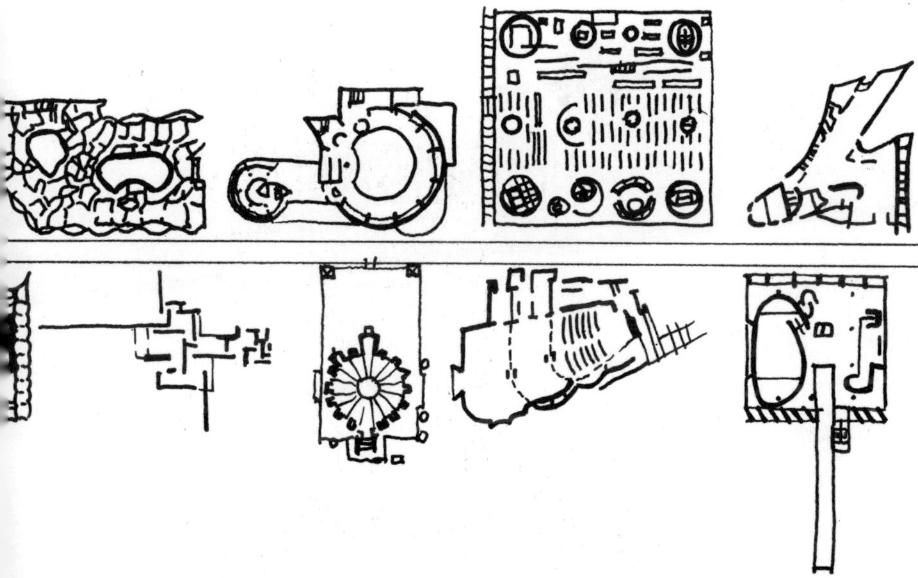

Em seu livro ***Aprendendo com Las Vegas***, um divisor de águas da teoria da arquitetura publicado em 1972, Denise Scott Brown, Robert Venturi e Steven Izenour analisaram a paisagem da *strip* de Las Vegas. Como se tratava de um local e uma cultura dominados pelos automóveis, eles se deram conta de que a sinalização visual era um fator muito importante para os cassinos, motéis e lanchonetes, que buscavam divulgar seus negócios aos clientes dirigindo em alta velocidade. Nos exemplos abaixo, você pode observar que as grandes placas são compostas de uma imagem ou símbolo dominante, para ser visto a longa distância, mas, na parte inferior, há informações mais detalhadas sobre o estabelecimento e seus serviços.

Desenhe sua própria placa de motel ou lancheria para instalar na autoestrada. O que o estabelecimento oferece, ou o que há no cardápio?

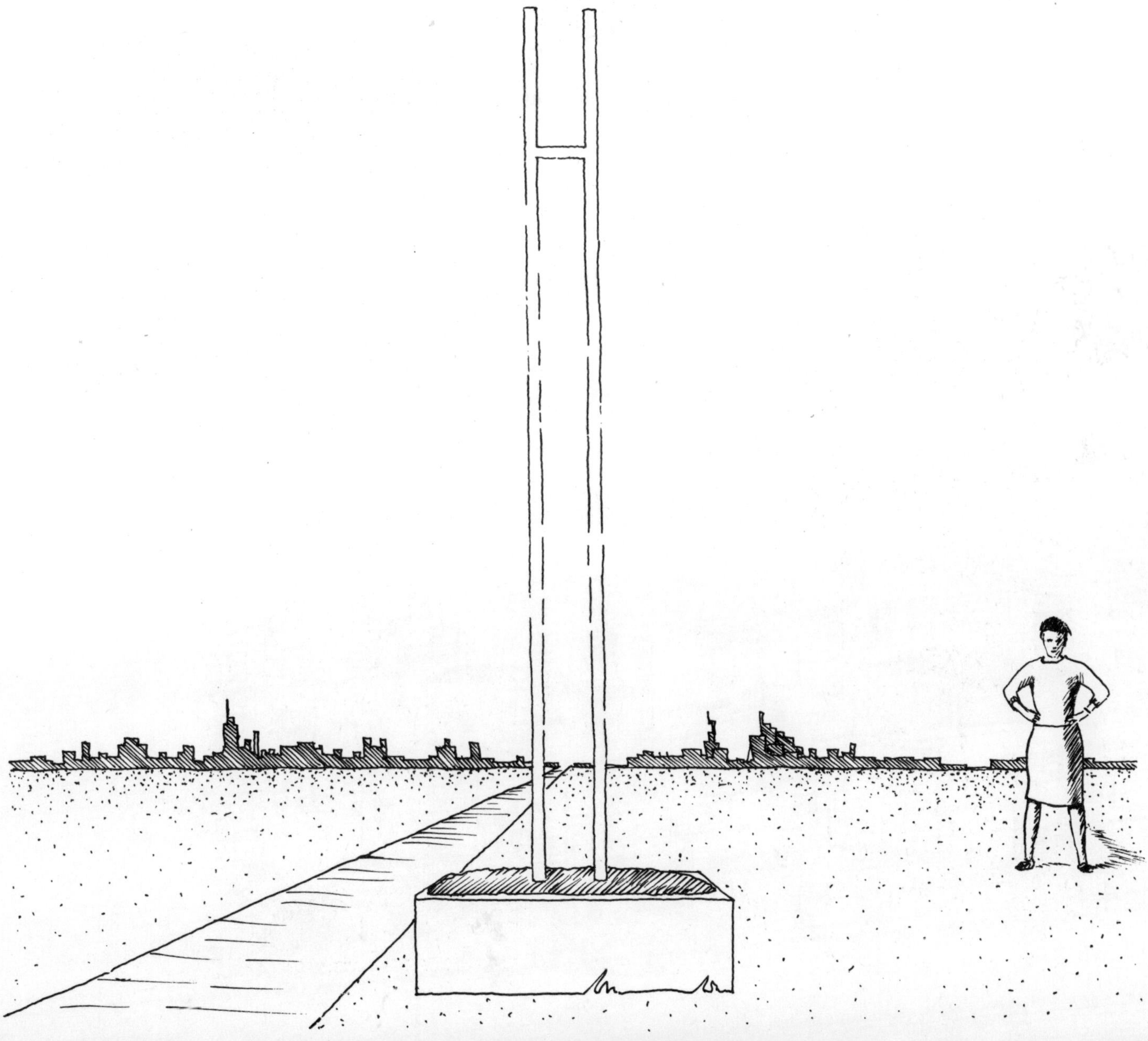

Estes dois projetos usam **blocos empilhados** a fim de criar relações espaciais interessantes. Apesar de terem sido planejados para atender a funções totalmente distintas e se inserirem em contextos políticos diferentes, seu ponto em comum é a estratégia de composição arquitetônica.

Ministério da Construção de Autoestradas (atualmente o Banco da Geórgia), Tbilisi, Geórgia. 19 Architect e Giorgi Chakhava, para o Ministério da Construção de Autoestradas, 1975.

Conjunto habitacional Habitat 67, Montreal, Canadá. Moshe Safdie, 1967.

Usando blocos de forma similar, esboce algumas ideias para uma edificação que se baseie na sobreposição de formas simples. Qual será sua função principal?

O **terraço de cobertura** deste edifício alto e bastante comum construído em Pequim, na China, se tornou famoso recentemente porque o proprietário do apartamento de cobertura decidiu transformar o coroamento do prédio em um refúgio no topo de uma montanha usando rochas, caliça e arbustos. Ele levou quase seis anos para completar sua obra, mas, como não tinha obtido a licença para construí-la, ela foi considerada insegura e teve de ser removida.

Se você tivesse um apartamento de cobertura no topo de um edifício alto e pudesse construir o terraço de cobertura dos seus sonhos, o que projetaria?

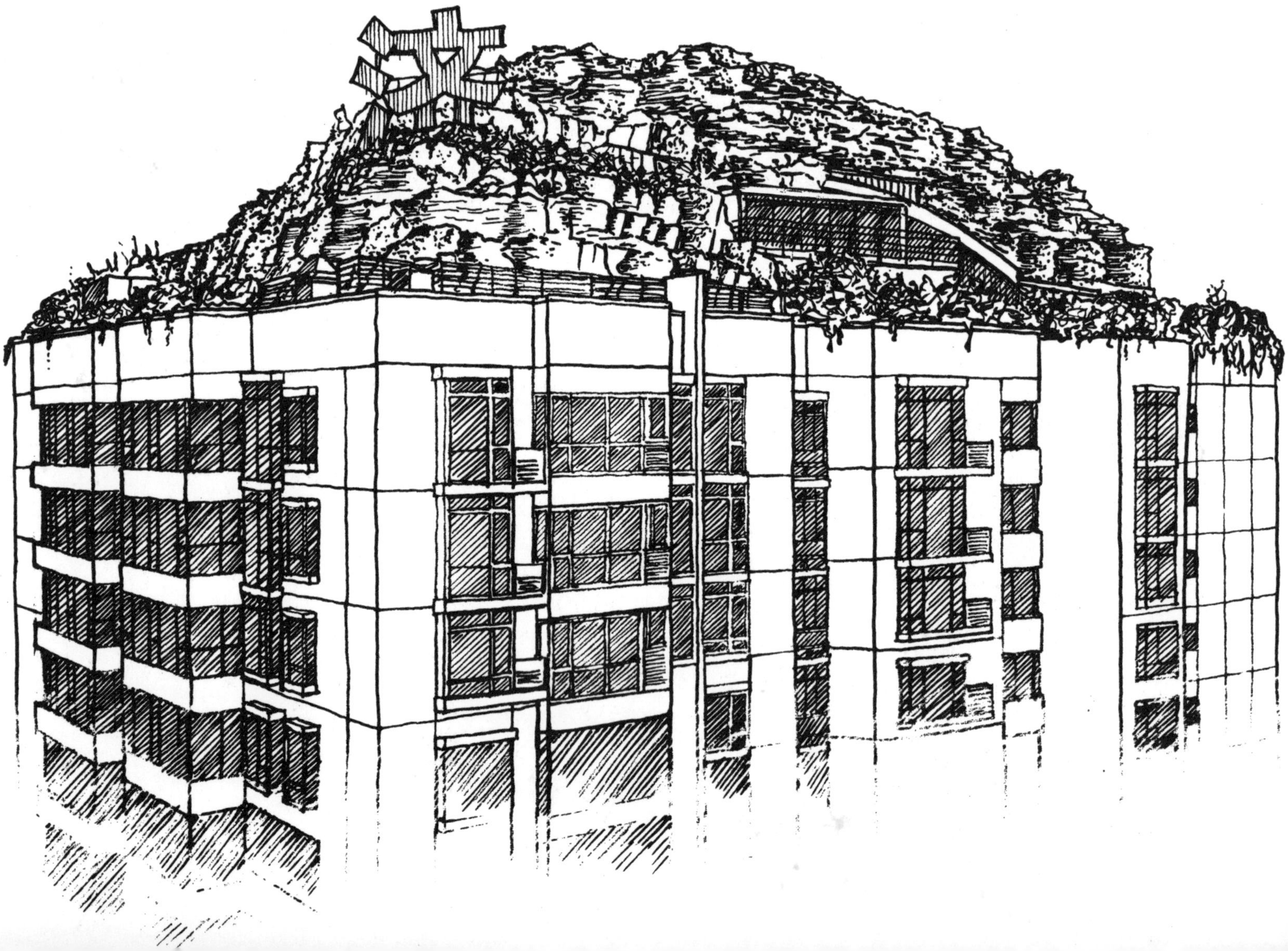

A **cidade de Barcelona** expandiu-se muito no século XIX, graças principalmente ao planejador urbano espanhol Ildefons Cerdà i Sunyer. Cerdà concebeu uma malha de quadras definidas por blocos baixos no perímetro, com espaço para o comércio nos pavimentos térreo e segundo e apartamentos habitacionais acima. No centro de cada uma das quadras, ele planejou jardins e espaços verdes. Contudo, na prática, o uso do espaço urbano idealizado por Cerdà nem chegou perto de ser efetivado, pois quase todos os quadriláteros foram fechados e poucos jardins restaram. Hoje, a maioria dos pátios internos é ocupada por estacionamentos e oficinas.

Use a planta baixa das quadras para desenhar como você replanejaria os pátios internos.

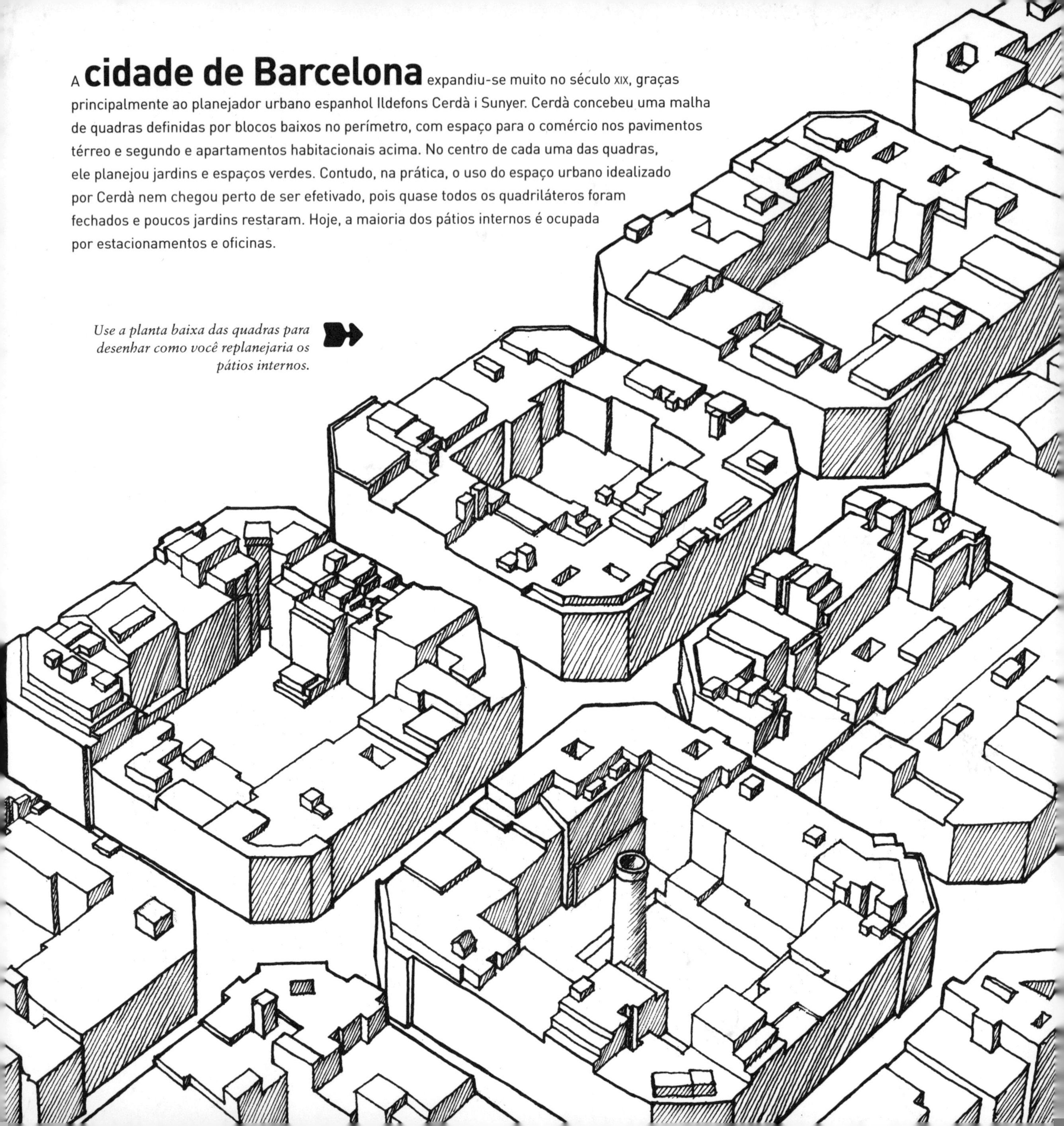

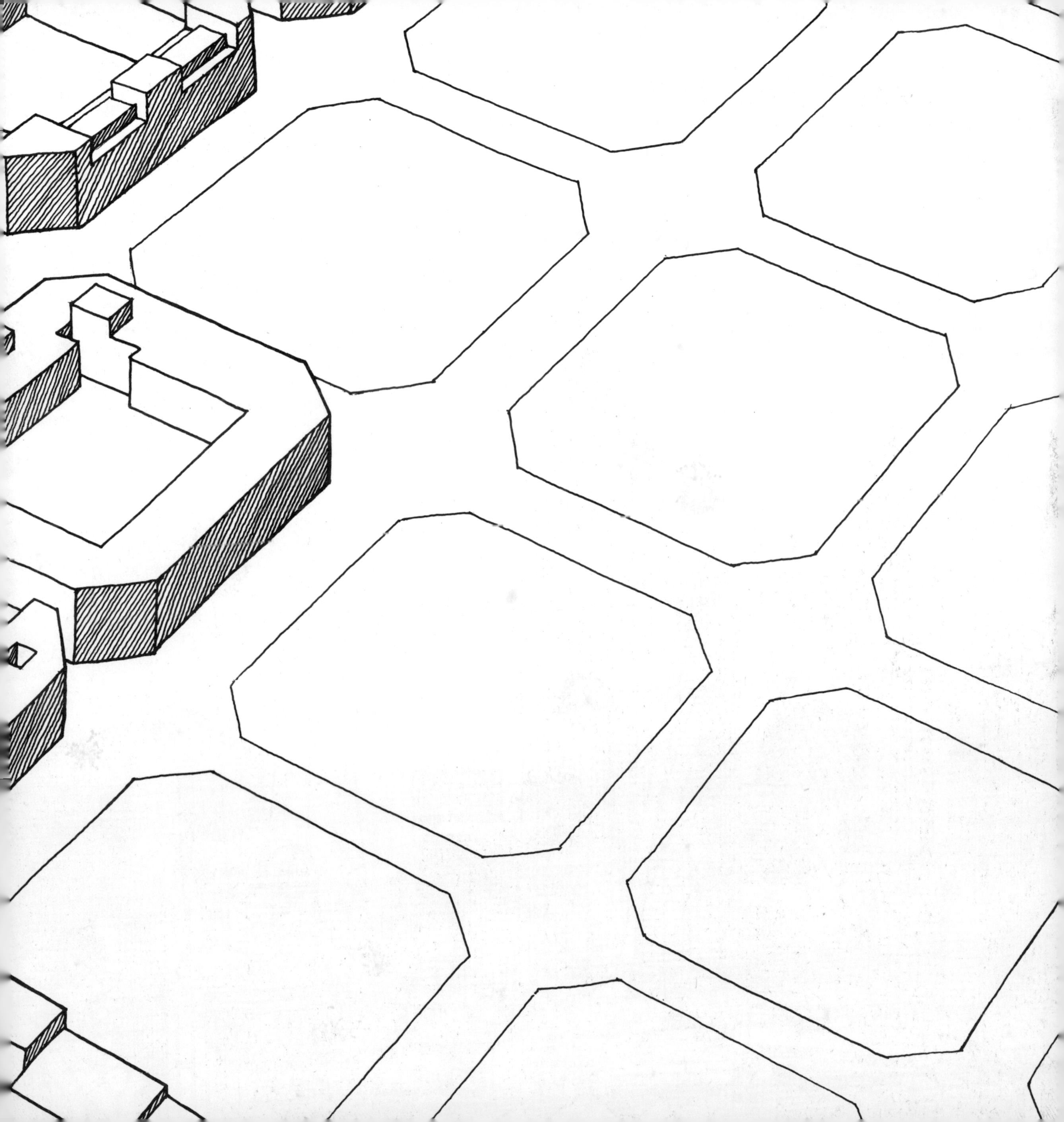

Esta **colagem panorâmica**

é composta de edifícios de Londres e Nova York.

Inclua torres icônicas de sua própria seleção às ilustradas aqui.

Em seu influente livro **Cidade-colagem**, publicado em 1978, Colin Rowe e Fred Koetter rejeitaram as visões utópicas e pomposas do passado em favor de cidades que abraçassem colisões, superposições, contaminações e ricas camadas históricas. Aqui, usei fragmentos de Londres, Paris, Nova York e Barcelona para formar uma nova cidade-colagem. Se eles se tornassem uma cidade, será que ela seria chamada Ny-lon, Parcelona ou, quem sabe, Nova Barceldon? Você incluiria parques, avenidas, praças e monumentos?

Desenhe os novos bairros que conectariam estes fragmentos, completando a cidade.

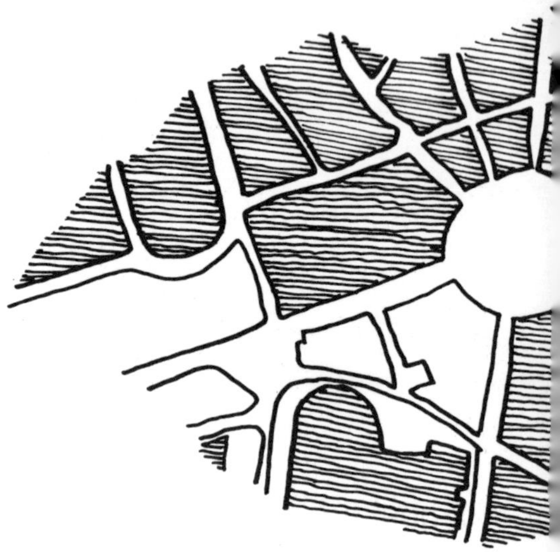

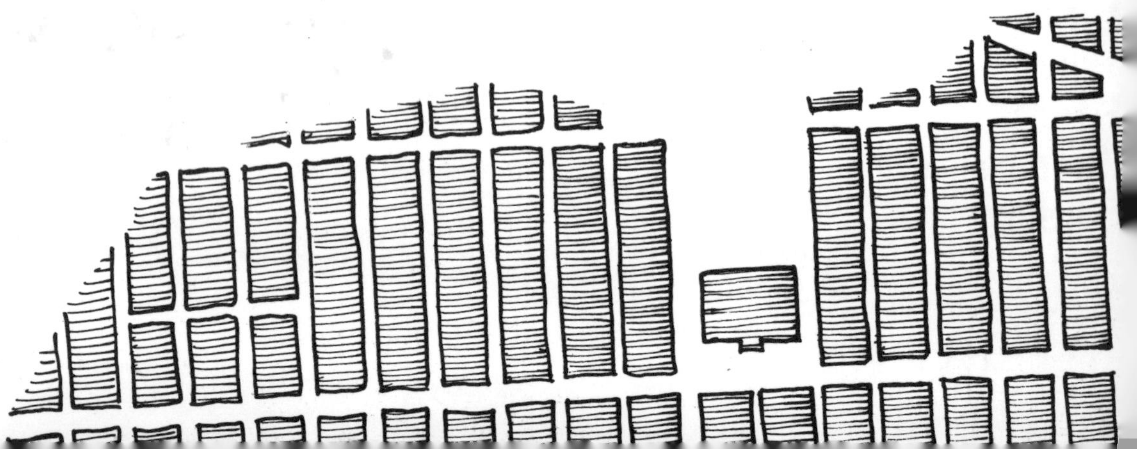

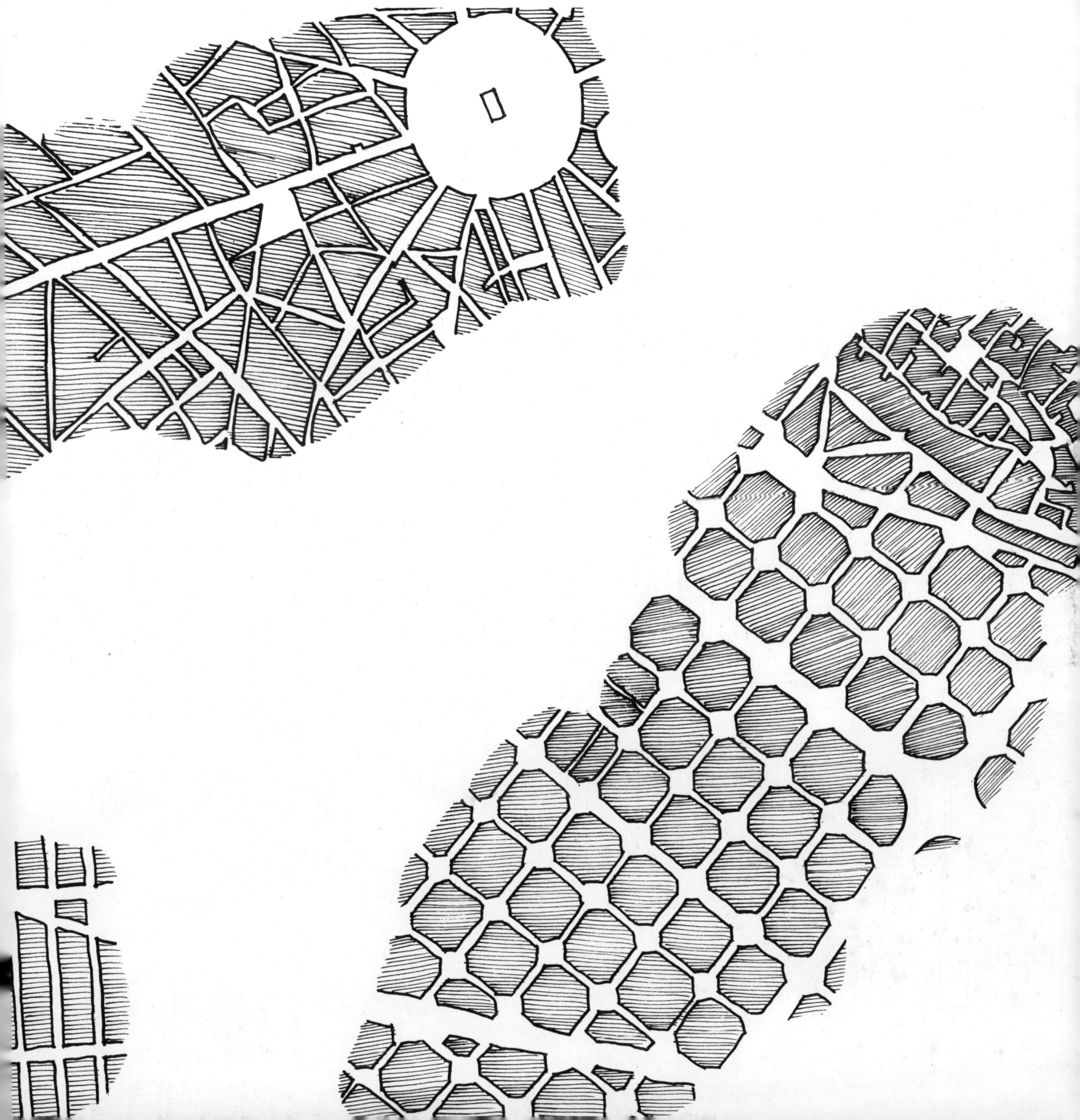

Quando o arquiteto norte-americano **Louis Kahn** disse que "a rua é um cômodo por consenso", estava sugerindo que as ruas seriam espaços comunitários que serviriam às necessidades de muitas pessoas. Nos últimos tempos, têm-se feito propostas para centros de cidades nas quais se proíbe o uso de automóveis privados e, portanto, são criadas novas possibilidades para ruas mais seguras, mais limpas e mais cheias de vida.

Esboce suas próprias ideias de como criar um cenário urbano interessante, usando elementos como ciclofaixas, balcões, cafeterias e árvores.

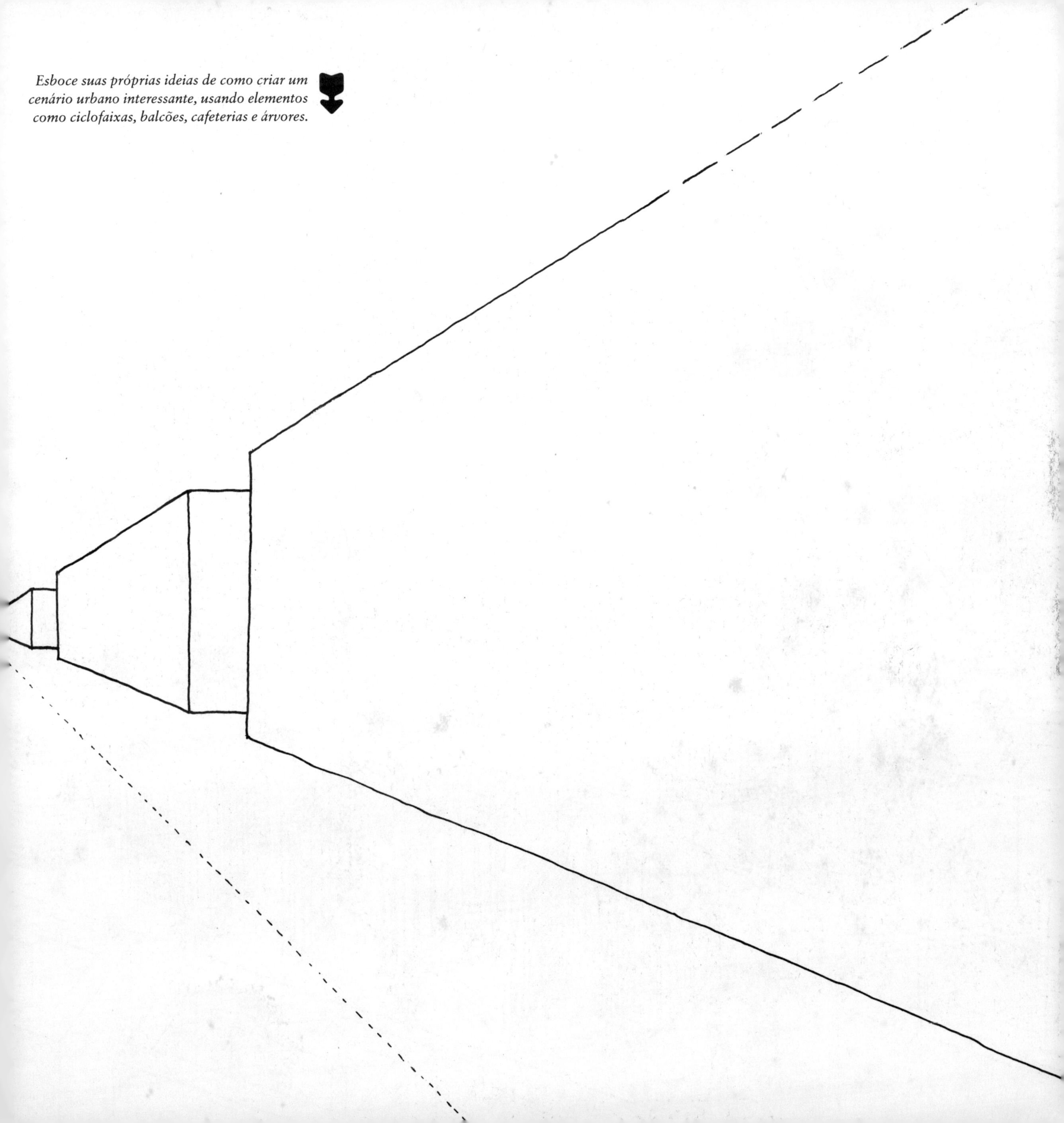

No bairro East Village, em Manhattan, se encontra a **Cidade do Alfabeto**, assim chamada em função de suas avenidas A, B, C e D serem as únicas vias de Nova York que são denominadas por apenas uma letra. Na paisagem urbana fictícia abaixo, desenhei edifícios em forma de letras, compondo uma palavra.

Complete a cidade usando prédios que componham uma palavra de sua própria escolha.

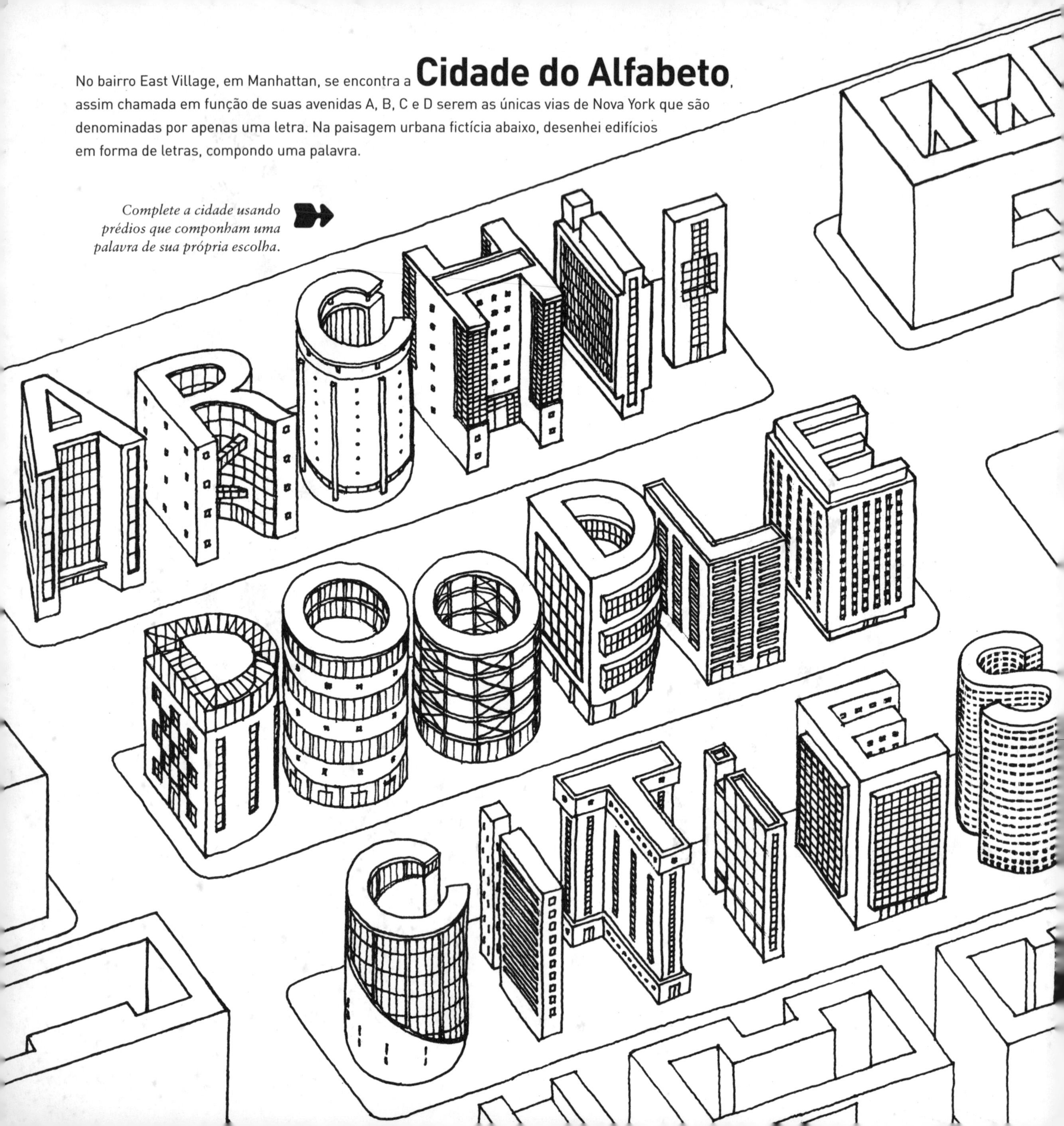

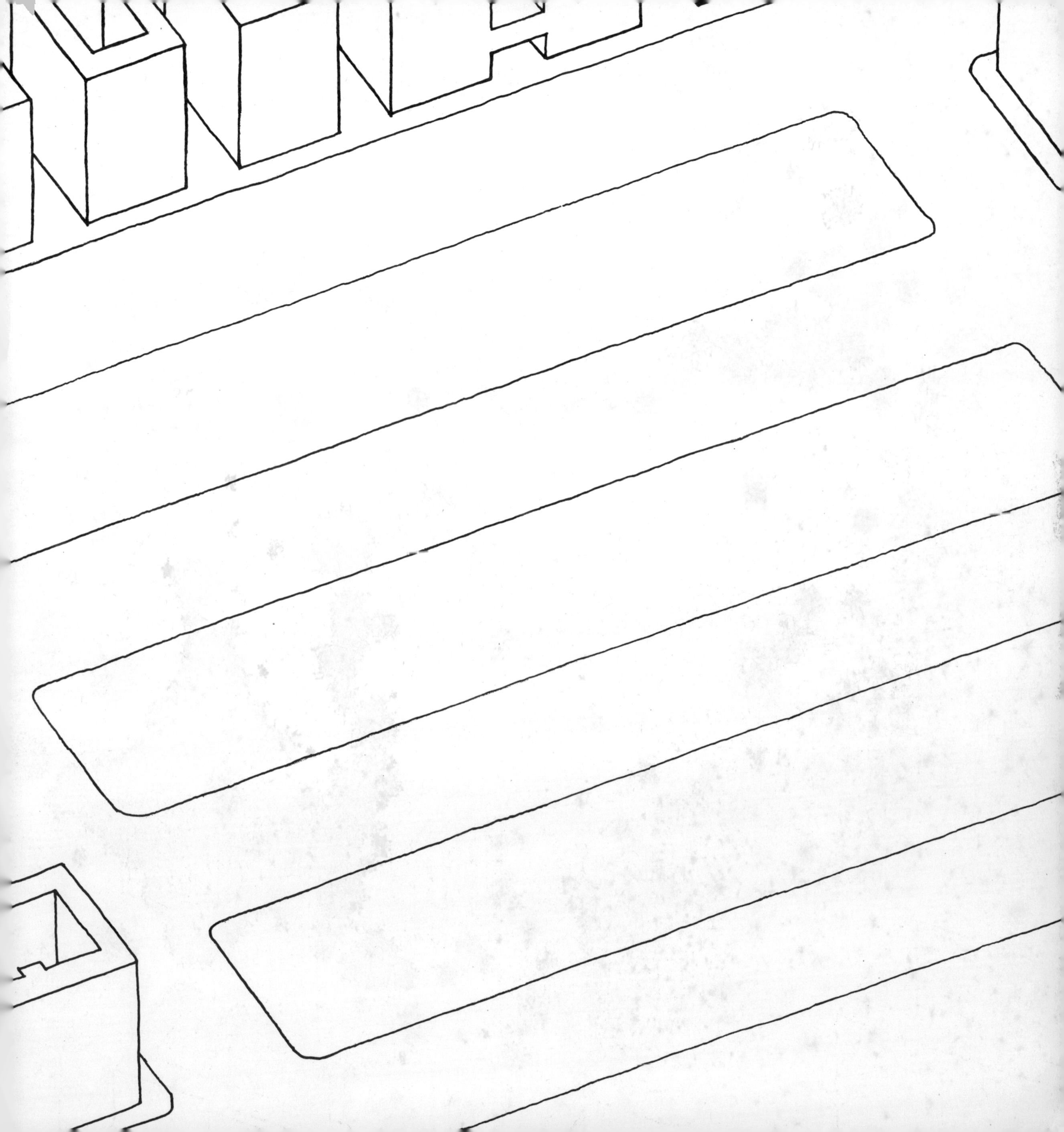